THIS BOOK IS THE PROPERTY OF:

STATE _____

PROVINCE _____

COUNTY _____

PARISH _____

SCHOOL DISTRICT _____

OTHER _____

Book No. **13.**

Enter information
in spaces
to the left as
instructed

ISSUED TO	Year Used	CONDITION	
		ISSUED	RETURNED
Jacob 13	13-14		
Mary (5)			
Madison			
Justin	2012		

PUPILS to whom this textbook is issued must not write on any page or mark any part of it in any way, consumable textbooks excepted.

1. Teachers should see that the pupil's name is clearly written in ink in the spaces above in every book issued.

2. The following terms should be used in recording the condition of the book: New; Good; Fair; Poor; Bad.

LENGUAJE
3

Nuevo

siglo
de español

Santillana USA

Nuevo siglo de español, a Spanish Reading and Language Arts series for native Spanish-speakers

Lenguaje 3
ISBN 10: 1-56014-529-3
ISBN 13: 978-1-56014-529-5

The participation and contributions of the following educators in the development of *Nuevo siglo de español* are gratefully acknowledged.

Grades K-2
Arnhilda Badía, Ph. D., Professor of Modern Language Education
Marta Nabut, Elementary Spanish Teacher
Juan Carlos Rodríguez, Spanish Teacher

Grades 3-6
Dr. Judith Márquez, Ph. D., Associate Professor of Bilingual Education & ESL
Juan Carlos Rodríguez, Spanish Teacher
Michelle Maxson, Bilingual Teacher
Marjorie M. Guillot, Bilingual Educator
Abraham Martínez, Bilingual Teacher
Enrique López, Bilingual Teacher
Annie Plasencia, Bilingual Teacher
Pablo Hernández, Bilingual Teacher
Miladys González, Bilingual Teacher

Cover Design:
Noreen T. Shimano

Santillana USA Publishing Company, Inc.
2105 N.W. 86th Avenue
Miami, FL 33122

Published in the United States of America.

Printed in Colombia by D'Vinni S.A.

10 09 08 07   2 3 4 5 6 7 8 9 10

Acknowledgments

The Publisher acknowledges the significant contributions of writers and educators whose work has been reproduced in this book:

Page 10, "El primer pájaro de Cacocún," by Alga Marina Elizagaray, from *Lectura y comunicación 2*, Serie Siglo XXI, Ediciones Santillana, Inc.
Page 24, "La pajarita de papel," by Fernando Alonso, from *Lenguaje y comunicación 2*, Serie Siglo XXI, Ediciones Santillana, Inc.
Page 33, "Dame la mano," by Gabriela Mistral, from *Lectura y comunicación 1*, Serie Siglo XXI, Ediciones Santillana, Inc.
Page 36, "El zapatero y los duendes," from *Lenguaje y comunicación 2*, Serie Siglo XXI, Ediciones Santillana, Inc.
Page 49, "Los peces," by Alicia Barreto, reprinted by permission of the author; "Paisaje," by Federico García Lorca, from *Lenguaje y Comunicación 2*, Serie Siglo XXI, Ediciones Santillana, Inc.; "Caracola de mar," by Robinson Saavedra Gómez, from *Textos para leer 3*, Serie 2000, Editorial Santillana S.A. de C.V.
Page 54, "Los dos ratones," by Esopo from *Lenguaje y comunicación 2*, Serie Siglo XXI, Ediciones Santillana, Inc.
Page 63, "El labrador," from *Lectura 2*, Editorial Santillana, S.A. de C.V.
Page 66, "Señora Naturaleza," by Adela Basch, from *Lectura y comunicación 2*, Serie Siglo XXI, Ediciones Santillana, Inc.
Page 67, "Las mañanitas de Sol," from *Lenguaje 2*, Ediciones Santillana, S. A.
Page 78, "Un cuento enredado," by Gianni Rodari, from *Español 2*, Serie 2000, Editorial Santillana, S.A. de C.V.
Page 87, "Mi familión," by Rosario Márquez Rodríguez, from *Lenguaje y comunicación 2*, Serie Siglo XXI, Ediciones Santillana, Inc.
Page 96, "La ciudad invadida por los autos," by Gianni Rodari, from *Lenguaje y comunicación 2*, Serie Siglo XXI, Ediciones Santillana, Inc.
Page 105, "Ronda para correr," by Yolanda Lleonart, from *Lectura y comunicación 1*, Serie Siglo XXI, Ediciones Santillana, Inc.
Page 108, "Cuando el río suena," by María Antonia Candela, from *Lectura y comunicación 1*, Serie Siglo XXI, Ediciones Santillana, Inc.
Page 117, "La ardilla," by Amado Nervo, from *Pimpón*, Puertas al sol, Alfaguara Infantil.
Page 120, "El girasol," by Isabel Freire de Matos, from *Lectura y comunicación 1*, Serie Siglo XXI, Ediciones Santillana, Inc.
Page 129, "Una historia," by Manuel Fernández Juncos, from *Lectura y comunicación 4*, Serie Siglo XXI, Ediciones Santillana, Inc.
Page 138, "La boda de doña Lagartija," by Oscar Jara Azócar, from *Lenguaje y comunicación 2*, Serie Siglo XXI, Ediciones Santillana, Inc.
Page 159, "El primer resfriado," by Celia Villa, from *Lengua 2*, Ediciones Santillana, S. A.
Page 162, "Entrevista a un bombero," by María Llorens and Luz María Novoa, from *Español 2*, Serie 2000, Editorial Santillana, S.A. de C.V.
Page 171, "Gabriela Mistral, la maestra premiada," by Alma Flor Ada and F. Isabel Campoy, from *Sonrisas*, Puertas al sol, Alfaguara Infantil.

The Publisher has made every effort to secure permissions for all the copyrighted selections that appear in this book. Any errors or omissions will be corrected in future printings, as information becomes available.

CONTENIDO

Regreso a la escuela

¿Qué está haciendo la familia?

¿Para qué se están preparando los niños?

¿Crees que los niños están contentos? ¿Por qué?

Se fueron las vacaciones

Terminaron las vacaciones y los niños regresaron a la escuela. ¡Qué felices estaban! ¡Se habían divertido mucho! La señorita Brito los recibió con alegría.

–Buenos días, niños –saludó la señorita Brito.

–Buenos días, señorita Brito –respondieron los niños.

–¿Qué me cuentan de sus vacaciones? –preguntó la maestra.

–¡Fueron estupendas! –contestó Clara.

–Yo fui a una casa de playa con mi familia. Allí lo pasamos muy bien –añadió Amy.

–Yo fui a visitar a mis abuelos en el valle. Vi nacer un potrillo –dijo Gabriel.

–Y tú, ¿qué hiciste? –le preguntó la señorita Brito a Clara.

–Yo visité a varios primos en México. ¡Aprendí muchas cosas! –contestó Clara.

–¿Les gustaría que les contara cómo pasé yo las vacaciones? –preguntó la maestra.

Los niños comenzaron a aplaudir.

A **Marca** la respuesta correcta.

1. La historia se desarrolla en

   ☐ el patio de la escuela.

   ☐ una casa de playa.

   ☐ un salón de clases.

2. Nos enteramos de lo que hicieron los niños por medio de

   ☐ la lectura de un libro.

   ☐ una película.

   ☐ una conversación.

3. La historia ocurre

   ☐ el día de Navidad.

   ☐ el primer día de clases.

   ☐ el último día de clases.

4. Las vacaciones de los niños fueron

   ☐ divertidas.

   ☐ aburridas.

   ☐ cortas.

B **Completa** las oraciones con el nombre del personaje que corresponde.

1. _____ visitó México.

2. _____ fue con su familia a una casa de playa.

3. _____ visitó a sus abuelos.

C **Escribe** las palabras correctas para terminar cada oración.

1. El primer día de clases los niños estaban _____ .

   tristes   nerviosos   felices

2. El tema de la lectura es la alegría de _____ .

   la escuela   las vacaciones

A | **Encierra** en un círculo las palabras que tengan los siguientes grupos consonánticos: **br, tr, dr, pr, cl, gr, pl**. Hay 14 palabras en total.

```
p  l  a  y  a  m  p  r  i  m  o
o  i  g  t  i  g  r  e  z  p  t
t  b  r  t  a  l  e  g  r  e  r
r  r  i  p  i  e  d  r  a  o  a
o  o  s  g  r  t  r  e  n  t  j
p  l  á  t  a  n  o  s  b  r  e
p  r  e  g  u  n  t  a  l  a  r
```

■ **Copia** las palabras y **subraya** los grupos consonánticos.

B **Completa** la palabra que corresponde a cada dibujo.

 es ____ lla

 ____ gón

 ____ llo

 ____ feo

 ____ to

 ____ ce

 pie ____

 ____ vos

C **Ordena** las sílabas y **forma** las palabras. Luego, **escríbelas**.

1. de   gran

_____

2. ba   jo   tra

_____

3. ma   na   dri

_____

4. dre   co   ma

_____

5. a   zo   bra

_____

6. mas   gri   lá

_____

7. pe   ta   trom

_____

8. po   gru

_____

A **Escribe** las palabras que corresponden a cada dibujo. **Encierra** en un círculo las vocales.

_____ _____ _____ _____

Repasemos

Todas las palabras están formadas por letras. Las letras pueden ser **vocales** o **consonantes**. Observa.

• **Vocales:** *a, e, i, o, u.*
• **Consonantes:** *b, c, ch, d, f, g, h, j, k, l, ll, m, n, ñ, p, q, r, s, t, v, w, x, y, z.*

B **Escribe** las vocales que faltan y forman sustantivos que nombran animales.

C **Observa** los dibujos y **escribe** las consonantes que faltan.

o _ o   _ o _ a   _ a _ ó _   _ a _ e _ a

D **Encierra** en un círculo las letras mayúsculas y **lee** estos sustantivos.

gusano   Marcela   silla   Fernando

Bambi   ardilla   Omar   Elisa

Repasemos

Las letras también pueden ser **minúsculas** o **mayúsculas**.
Observa.

- **Minúsculas**: *a, b, c, ch, d, e, f, g, h, i, j, k, l, m, n, ñ, o, p, q, r,
  s, t, u, v, w, x, y, z.*
- **Mayúsculas**: *A, B, C, CH, D, E, F, G, H, I, J, K, L, M, N, Ñ, O, P,
  Q, R, S, T, U, V, W, X, Y, Z.*

E **Completa** las oraciones con los sustantivos con letra mayúscula
o minúscula, según corresponda.

1. ___Rosa___ es una niña muy graciosa.

2. En el jardín hay una _____ roja.

3. Luis ensució su camisa _____ .

4. _____ lee un cuento muy interesante.

5. En el cielo brilla una _____ azul.

6. Mi amiga _____ juega en el patio.

rosa

Rosa

Blanca

blanca

Estrella

estrella

1 Soy así

¿Cómo describirías
a los niños
de la ilustración?

¿Por qué se están dibujando
unos a otros?

¿Qué crees que ocurrirá
cuando cada niño
y cada niña vea su retrato?

El primer pájaro de Cacocún

Había una vez un lugar llamado Cacocún donde vivían muchos animales que nunca habían visto un pájaro.

Un día cayó del cielo un huevo muy blanco y redondo que ¡cras! se rompió. De él salió un pajarito. Pero este polluelo, como no tenía una mamá pájara a su lado, no sabía qué hacer, ni cuál era su nombre. Empezó a sentirse muy solo y muy triste.

–Por favor, ¿sabe usted quién soy yo y qué debo hacer? –preguntaba a cada animal que encontraba: al caballo, a la jutía, a la jicotea, al venado, a la mariposa, al caracol, al grillo, al cangrejo, en fin, a muchos otros animales que allí vivían, pues no era un pajarito cobarde, por cierto.

Por último, camina que te camina, llegó al borde de una altísima loma. Como estaba muy cansado, resbaló y comenzó a rodar por un hueco oscuro y hondo. El pajarito se asustó por primera vez al ver que caía por un hueco que parecía no tener fondo...

Mini Diccionario

jutía: especie de rata, más grande, de color gris, orejas pequeñas y cola muy larga.

jicotea: tortuga de agua dulce.

Pero entonces...

¿Qué creen ustedes que pasó?

De pronto... apareció en el cielo otro pájaro un poquito más grande que él volando que daba gusto verlo y, desde muy alto, le gritó:

–¡Oye chico, abre bien tus alas que no las tienes de adorno! ¡Eres un pájaro así como yo y como los demás! Lo que tienes que hacer es volar, para no caerte.

Así fue como el primer pájaro de Cacocún se salvó, y desde ese momento supo quién era y qué debía hacer para no caerse.

...Y nunca más tuvo miedo, porque encontró un compañero.

Y colorín colorado ya este cuento ha terminado y el tuyo no ha comenzado.

Alga Marina Elizagaray
(cubana)
(Adaptación)

A **Escoge** la mejor respuesta.

1. ¿Dónde crees que estaba situado Cacocún?

☐ En un país tropical.

☐ En el Polo Norte.

☐ En un desierto de Arabia.

■ **Lee** las partes del cuento que apoyan tu respuesta.

2. ¿Cuál era el problema del pajarito?

☐ **a.** Que estaba cansado.

☐ **b.** Que tenía hambre.

☐ **c.** Que no sabía quién era.

3. ¿Cuándo resolvió su problema el pajarito?

☐ **a.** Cuando encontró a su mamá.

☐ **b.** Cuando aprendió a volar.

☐ **c.** Cuando encontró comida.

B **Explica** el mensaje de este cuento.

_____

_____

C **Crea** otro final para el cuento. **Cuéntalo** en la clase.

A **Lee** la oración.

El pajarito rodaba **hacia** el fondo de un hueco oscuro.

■ ¿Qué indica la palabra destacada?

La palabra **hacia** nos dice que el pajarito caía al fondo del hueco. Es una **palabra de dirección**.

B **Dibuja** el camino que debes seguir para encontrar Cacocún. **Sigue** las instrucciones.

INSTRUCCIONES PARA ENCONTRAR CACOCÚN

1. Avanza recto desde la casa hasta llegar al pozo.

2. Gira hacia el río y avanza hasta el puente.

3. Gira hacia los árboles. Luego gira y avanza hasta llegar a las montañas. Ahí entre las montañas está Cacocún.

A **Observa** la ilustración y **lee** las palabras que la acompañan.

pájaros   los pájaros del bosque

■ ¿Qué diferencia hay entre la palabra de la izquierda y las de la derecha?

Aprendamos

Una **palabra** es un conjunto de sonidos o de letras que expresan un significado o una idea.

Ejemplos   pájaros, mariposa, bosque

Una **frase** es un grupo de palabras que tiene cierto sentido.

Ejemplo   los pájaros del bosque

B **Marca** el recuadro de las palabras que forman una frase.

☐ el caracol lento y bello   ☐ la sombra de los árboles

☐ una altísima loma   ☐ un lindo día

☐ pajarito   ☐ hueco

C **Escribe** lo que hacen los animales de las ilustraciones.

1. El pájaro _____

_____

_____ .

2. El venado _____

_____

_____ .

■ ¿Qué sucedió cuando escribiste lo que hacen los animales?

Repasemos

Una **oración** es una palabra o un grupo de palabras que expresa un pensamiento completo. Las oraciones comienzan con letra mayúscula y terminan con punto.

Ejemplo ▶ *El pajarito se asustó.*

D **Marca** el recuadro de las palabras que forman una oración.

☐ en el cielo

☐ tus alas

☐ El pájaro estaba muy cansado.

☐ Tienes que volar.

☐ a la mariposa

☐ Otro pájaro apareció en el cielo.

Todos tenemos habilidades

A **Fíjate** en las ilustraciones. **Escribe** cómo crees que cada uno hace lo que ves. **Usa** palabras del recuadro según te parezca.

muy bien	rápidamente	regular	mal	alegremente

1. Adriana nada _____.

2. Oscar escribe _____.

3. Yoli baila _____.

4. Pepe patina _____.

Mis habilidades

A **Dibuja** algo que haces bien.　　　**Dibuja** algo que haces mal.

B Ahora **contesta** usando oraciones.

1. ¿Qué es lo que haces bien?

   Lo que hago bien es _____

   _____

2. ¿Qué es lo que haces mal?

   _____

   _____

3. ¿En qué otras cosas eres bueno?

   Soy bueno en _____

   _____

4. ¿En qué cosas te gustaría ser mejor?

   Me _____

   _____

A **Escoge** del paréntesis la palabra correcta. Luego, **escribe** las oraciones.

1. (la - La) jicotea es una tortuga.

_____

2. (a - A) mí me gustan los animales.

_____

3. (Estaba - estaba) cansado de tanto caminar.

_____

Repasemos

Las oraciones comienzan con letra **mayúscula** y terminan con **punto.** El punto nos indica que la oración finalizó y que debemos hacer una **pausa** antes de continuar la lectura.

B **Ordena** estas palabras y **forma** oraciones.

1. un• cayó • huevo • cielo • del
   <u>Un huevo cayó del cielo.</u>

2. huevo • rompió • se • el

   _____

3. animales • los • un • vieron • pájaro

   _____

4. pajarito • a • volar • el • aprendió

   _____

¡A jugar a las adivinanzas!

■ **Lee** las adivinanzas y **descubre** el animal. **Pinta** el globo del color del animal que le corresponda.

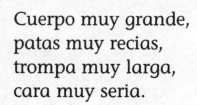

Cuerpo muy grande,
patas muy recias,
trompa muy larga,
cara muy seria.

Orejas grandes,
rabo cortito,
patitas ágiles,
suave cuerpito.

Aunque soy muy pequeñito,
me gusta mucho cantar
al silencio de la noche
y a la Luna sobre el mar.

2 Mis amigos

¿Dirías que estos niños y niñas
son amigos? ¿Por qué?

¿A cuál de esos niños y niñas
te gustaría tener como
amigo o amiga?

¿Cuál es el mensaje
de la ilustración?

La pajarita de papel

Pablo tenía siete años. Un día, su padre le dijo: –¿Qué regalo quieres? Dentro de poco será tu cumpleaños.

Pablo le respondió: –Quiero que me hagas una pajarita de papel.

El padre de Pablo hizo una pajarita maravillosa. El niño la miró y le dijo: –Está muy bien hecha; pero no me gusta. La pajarita está muy triste.

El padre fue a casa de varios sabios y les pidió que hicieran algo para que la pajarita se sintiera feliz.

El primer sabio hizo un aparato para que la pajarita volara. Aunque lo hacía muy bien, la pajarita seguía triste.

El segundo sabio hizo un aparato con el que la pajarita podía cantar, pero la pajarita cantaba una canción muy triste.

Mini Diccionario

habitación: cuarto, dormitorio, recámara, alcoba.

El padre de Pablo fue a casa de un pintor muy famoso que pintó de hermosos colores a la pajarita. Sin embargo, la pajarita seguía triste.

El padre de Pablo fue, finalmente, a casa del sabio más sabio de todos los sabios, quien, después de examinar a la pajarita, le dijo:

–Esta pajarita de papel no necesita volar, no necesita cantar, no necesita hermosos colores para ser feliz.

Y el padre de Pablo le preguntó: –Entonces, ¿por qué está tan triste? Y el sabio más sabio de todos los sabios le contestó: –Cuando una pajarita de papel está sola, es una pajarita triste.

El padre regresó a su casa. Fue al cuarto de Pablo y le dijo: –¡Ya sé lo que necesita nuestra pajarita para ser feliz! Y se puso a hacer muchas pajaritas de papel. Cuando la <u>habitación</u> estuvo llena de pajaritas, Pablo gritó: –¡Mira, papá! Nuestra pajarita de papel ya está feliz. ¡Es el mejor regalo que me has hecho en toda mi vida!

Fernando Alonso
(*español*)
(*Adaptación*)

A **Une** las piezas y **relaciona** al personaje con la acción.

El pintor famoso	dijo que la pajarita estaba triste por la soledad.
El segundo sabio	pintó de hermosos colores a la pajarita.
El primer sabio	hizo un aparato para que la pajarita pudiera cantar.
El sabio más sabio	hizo un aparato para que la pajarita pudiera volar.

B **Marca** la respuesta correcta.

1. Este cuento nos enseña que:

   ☐ los padres deben complacer a los hijos.

   ☐ las pajaritas necesitan volar y cantar.

   ☐ todos necesitamos la compañía de otros.

2. El tema principal del cuento es:

   ☐ el cumpleaños de Pablo.

   ☐ la necesidad de estar acompañado.

   ☐ el regalo de cumpleaños.

A **Lee** las oraciones.

El **primer** sabio hizo un aparato para que la pajarita volara.

El **segundo** sabio hizo un aparato para que la pajarita cantara.

■ ¿Qué indican las palabras destacadas?

Las palabras **primero** y **segundo** sirven para indicar orden. Son **palabras de orden**.

B **Escribe** palabras de orden.

¿En qué orden llegan?

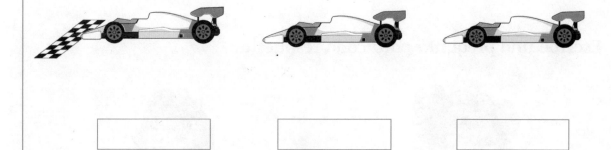

C **Completa**.

Luego	Primero	Por último

INSTRUCCIONES PARA BAJARSE DEL AUTOBÚS

_____ espera a que el autobús haya parado totalmente.

_____ baja despacio mirando hacia la derecha.

_____ súbete a la acera. Y nunca intentes cruzar

la calle por delante de un autobús.

A **Lee** las siguientes oraciones:

1. ¿Qué regalo quieres?
2. ¿Por qué está tan triste la pajarita?

■ ¿Qué tipo de oraciones son?

Repasemos

> Las **oraciones interrogativas** son las que preguntan algo.
> Comienzan y terminan con signos de interrogación: ¿?
>
> **Ejemplo** ▷ *¿Tienes mucho calor?*

B **Escribe** una pregunta para cada respuesta.

1. Son las cinco en punto.

3. Voy al médico.

_____

_____

2. Yo me llamo Manuel.

4. Mañana te lo diré.

_____

_____

C **Lee** las siguientes oraciones:

1. ¡Qué triste está la pajarita!
2. ¡Es el mejor regalo que he recibido!
   - ■ ¿Qué tipo de oraciones son?

Repasemos

Las **oraciones exclamativas** son las que expresan admiración, miedo, alegría, tristeza, dolor u otro sentimiento. Comienzan y terminan con signos de exclamación: ¡!

Ejemplo　　*¡Qué pena me da!*

D **Escribe** una oración exclamativa como respuesta a cada exclamación.

1. ¡Nos vamos de excursión!

_____

_____

_____

_____

2. ¡Aquí tienes tu regalo!

_____

_____

_____

_____

3. ¡Se me perdió la pelota!

_____

_____

_____

_____

El cumpleaños de Liliana

A **Mira** el dibujo y **escribe**. ¿Qué regalos recibió Liliana el día de su cumpleaños?

Liliana recibió pelotas,

B **Une**. ¿Cuántos juguetes recibió de cada tipo?

muchos	pelotas
varios	cuentos
ninguna	ositos de peluche
pocas	bicicleta

■ Ahora **escribe** las palabras que has unido.

Ninguna bicicleta.

Mi cumpleaños

A   **Escribe.** ¿Qué necesitas para celebrar tu cumpleaños?

_____

_____

_____

_____

_____

_____

_____

_____

B   Ahora **escribe**. **Pon** las comas.

1. Para festejar mi cumpleaños necesito _globos_

_____

_____

2. ¿Cuánto necesitas de cada cosa? **Une.**

muchos	pastel
varios	refrescos
un	amigos y amigas
algunos	globos

■ Ahora **escribe**. ¿Cuánto necesitas de cada cosa?

_____

_____

_____

_____

■ **Observa** las siguientes situaciones. **Escribe** los signos
de interrogación o exclamación que corresponden a la oración
en cada globo.

Qué te pasó

Los quiere blancos o negros

Qué divertido

Qué noticia tan interesante

Dame la mano

Dame la mano y danzaremos;
dame la mano y me amarás.
Como una sola flor seremos,
como una flor, y nada más...

El mismo verso cantaremos,
al mismo paso bailarás.
Como una espiga ondularemos,
como una espiga, y nada más.

Te llamas Rosa y yo Esperanza;
pero tu nombre olvidarás,
porque seremos una danza
en la colina, y nada más...

Gabriela Mistral
(chilena)

■ **Marca** lo que quieren ser
los personajes.

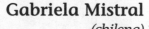 una flor

una colina

una danza

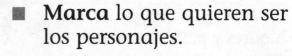

3 Mi comunidad

¿Has visto lugares y personas como los de la ilustración? Explica.

¿Crees que esta comunidad es buena? ¿Por qué?

¿A qué personas de tu comunidad consideras importantes? ¿Por qué?

El zapatero y los duendes

Había una vez un zapatero tan pobre, que sólo tenía cuero para hacer un par de zapatos.

Una noche, el zapatero dejó preparado el cuero para coser los zapatos al día siguiente. Por la mañana, encontró sobre su mesa un par de zapatos totalmente terminados. ¡Eran perfectos! Se veía que estaban hechos por un maestro en el oficio.

El zapatero vendió los zapatos y compró más cuero. Por la noche, dejó el cuero cortado. La mañana siguiente, encontró dos pares de zapatos totalmente terminados. Eran unos zapatos maravillosos que enseguida vendió a buen precio.

Y lo mismo sucedió al día siguiente, y al otro, y al otro. El zapatero estaba intrigado. ¿Quién haría los zapatos?

Mini Diccionario

intrigado: curioso.
clavetear: clavar.

Una noche, el zapatero y su mujer se quedaron escondidos en el taller; y al sonar las doce, aparecieron dos duendecillos desnudos. Los duendes cogieron el cuero y se pusieron a coser, agujerear y <u>clavetear</u>. Sus deditos se movían a toda velocidad. Enseguida terminaron los zapatos y desaparecieron.

La mujer del zapatero dijo a su marido:

–¡Pobres duendecillos! Están desnudos. Les haremos unos preciosos trajes para que no pasen frío.

Y así lo hicieron. Por la noche dejaron los regalos sobre la mesa y se escondieron.

Cuando el reloj dio las doce, aparecieron los duendes y se llevaron una gran sorpresa. Muy contentos se vistieron y empezaron a cantar y a bailar. Y cantando y bailando, desaparecieron por los aires.

El zapatero y su mujer no volvieron a ver a los duendes, pero siempre vivieron muy felices gracias a ellos. Y nunca les volvió a faltar cuero para hacer más zapatos.

A **Completa** cada oración.

1. Una _____ , el zapatero y su mujer se quedaron escondidos.

noche   mañana

2. En el _____ , aparecieron dos duendecillos.

dormitorio   taller

3. El zapatero y su mujer _____ a los duendes.

castigaron   premiaron

B **Numera** los sucesos, según el orden en que ocurrieron en el cuento.

C **Encierra** en un círculo las cualidades del zapatero.

humilde   trabajador   agradecido

tímido   bondadoso   orgulloso

A **Clasifica** las palabras del recuadro en la familia que les corresponde.

zapatera	heladería	librero	helar
zapatería	librería	libreta	heladero	zapatero

libro

helado

zapato

B **Forma** familias de palabras.

frutería

floristería

panadería

A **Observa** la ilustración. **Lee** la oración que la acompaña.

Juan nada en el centro deportivo.

■ ¿Qué expresa esta oración?

Aprendamos

Las **oraciones enunciativas** afirman o niegan algo.

Ejemplos *Voy al parque a jugar.*

No me gusta esta calle.

B **Expresa** oralmente lo que hacen los niños de las ilustraciones.

C **Marca** las oraciones enunciativas.

☐ Me gusta mi comunidad.

☐ El zapatero vendió los zapatos.

☐ ¿Quién hizo los zapatos?

☐ ¡Qué calor!

☐ Los duendes no tenían ropa.

☐ ¿Cuántos años tienes?

D **Observa:**

Consígame un par en tamaño seis, por favor.

■ ¿Qué expresa la mamá?

Aprendamos

Las **oraciones exhortativas** expresan una orden o un ruego.

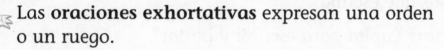

Ejemplo *Dime dónde vives.*

E **Clasifica** las oraciones siguientes en enunciativas (**En**) o exhortativas (**Ex**).

En	Ex	
✓		1. Carmen pasea a su perro.
		2. Vayan con cuidado.
		3. Pásame tu trabajo, por favor.
		4. Mi tío es bombero.
		5. Busca el video en la biblioteca.
		6. Dibuja lo que prefieras.
		7. Espérame aquí.
		8. Me molesta el ruido.

¿Qué traes a la escuela?

A **Observa** la bolsa de Lupita y **contesta**. **Usa** la coma para separar las cosas que escribas.

1. ¿Qué útiles trae Lupita para escribir y pintar?

_____

2. ¿Qué otros útiles tiene Lupita en su carterita?

_____

B **Piensa** y **escribe**. ¿Qué crees que lleva Lupita en su mochila?

C **Dibuja** lo que te gusta traer a ti.

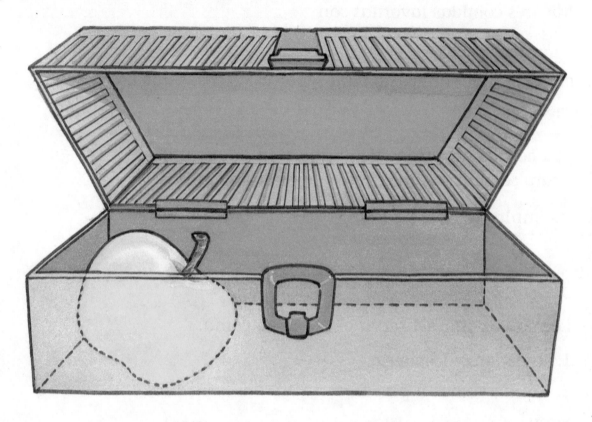

D Ahora **mira** lo que han dibujado tus compañeros. **Escribe**.

1. ¿Qué les gusta traer para comer?

2. ¿Qué les gusta traer para jugar?

E **Escribe** lo que a ti más te gusta traer a la escuela.

A mí me gusta traer

A **Completa** la oración.

Mis tres comidas favoritas son _____

_____ .

■ ¿Qué signo utilizaste para separar las cosas que escribiste?

Repasemos

La **coma** es un signo de puntuación que se utiliza
para separar las palabras en una enumeración.

Ejemplo   *Los duendes cosieron, agujerearon
y clavetearon.*

B **Lee** en voz alta. **Observa** el uso de la coma.

1. Javier, abre la puerta.

2. Mami, vamos a pasear.

■ ¿Para qué se usa la coma en estas oraciones?

Aprendamos

La coma sirve para separar, del resto de la oración, el nombre
de la persona a la que se habla.

Ejemplos   *Teresa, toma tu libro.*

Vamos afuera, Gabriel.

C **Coloca** las comas necesarias.

1. Fui a la fiesta con mi mamá mi papá mi hermano
   y mis dos hermanas.

2. César eres muy trabajador.

3. Volvamos a empezar niños.

Nuestra comunidad

■ **Reúnete** en grupo para construir una maqueta de tu comunidad.

¿Qué necesitan?

cajitas de distintos tamaños

tijeras

pegamento

crayones y marcadores de colores

plastilina

papel de distintos colores

un pedazo de cartón

¿Cómo la hacen?

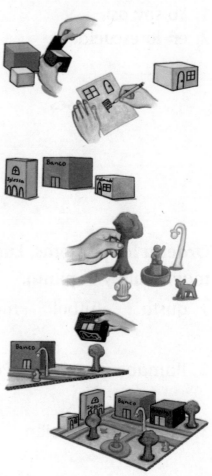

1. **Forren** las cajitas con papeles de distintos colores.

2. **Dibujen** las puertas y las ventanas en papeles de colores claros. **Recórtenlas** y **péguenlas** en las cajas ya forradas.

3. **Rotulen y pinten** los edificios y las tiendas con crayones y marcadores.

4. Con la plastilina, **construyan** árboles, fuentes, postes y otros elementos.

5. **Peguen** todos los componentes sobre el cartón.

Unidad 1

A **Completa** el crucigrama con el nombre de cada animal o cosa. **Escribe** cada palabra en el número que le corresponde.

1. Dice cuac-cuac.
2. Tiene ramas y hojas.
3. Es una flor.
4. Sirven para volar.

5. Está cubierto de plumas. Vuela
6. Brilla de día en el cielo.
7. Se ve de noche en el cielo.

B **Marca** las frases en rojo y las oraciones en azul. **Escribe** cada una en la tabla que le corresponde.

1. Yo soy así.
2. en la escuela.

3. hacia el fondo.
4. Cacocún está lejos.

Frases	Oraciones

C **Ordena** las palabras. Luego **escribe** las oraciones. **Recuerda** la mayúscula y el punto.

1. gusta   fútbol   me   jugar

2. llamaba   se   el   Pedrito   pajarito

3. muy   yo   bien   nado

A **Escribe** en orden lo que haces en las mañanas.

Primero, _____

Luego, _____

Por último, _____

B **Decide** cuáles oraciones pueden ser preguntas y cuáles pueden ser exclamaciones. **Coloca** los signos ¡! o ¿? según sea necesario.

1. __Cómo te llamas__   5. __Mira cómo sube__

2. __Qué miedo me da__   6. __Qué bien lo haces__

3. __Cuándo van a venir__   7. __Tienes hambre__

4. __Te gusta patinar__   8. __Qué lindo regalo__

C **Une** cada situación con la oración exclamativa adecuada.

| Recibir un regalo que no esperabas | Ver dos niños de la mano | Abrazar a tu abuelito |

| ¡Ven conmigo! | ¡Cuánto te quiero! | ¡Ah, gracias por acordarte de mí! |

Unidad 3

A **Lee** los cinco pares de oraciones. **Marca** con rojo cada oración enunciativa (**En.**) y con azul cada oración exhortativa (**Ex.**).

1. Mary me presta su pelota.

   Mary, préstame tu pelota.

2. No vamos a la pastelería.

   Vayan a la pastelería.

3. No lleves juguetes a la escuela.

   Susan lleva sus juguetes a la escuela.

4. Tenemos que cruzar la calle.

   Miren antes de cruzar.

5. Escríbeme pronto.

   Mi abuelita me escribió.

B **Lee** lo que Mariana nos dice de su comunidad. **Coloca** las comas que faltan.

Me gusta pasear por la Calle Ancha de mi comunidad. Primero está la frutería. Luego la floristería la librería la zapatería y por último la heladería. Yo entro en la heladería y el heladero me dice: –Mariana los helados están deliciosos. ¿Cuál vas a tomar? Yo miro el de vainilla el de fresa el de chocolate y por último digo: –señor heladero deme de los tres.

C En cada grupo, **marca** las palabras de la misma familia.

1. cielo	2. tierra	3. amigo	4. zapatero
celeste	terrestre	amistad	cepillar
estrella	terreno	amado	zapatillas
celestial	terrible	amigable	zapatería

La poesía

A **Lee** estos textos poéticos.

Los peces

Los peces
no tienen frío;
ellos se arropan
con agua del río.

Alicia Barreto
(venezolana)

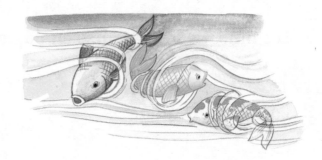

Paisaje

Detrás de los cristales
turbios, todos los niños
ven convertirse en pájaros
un árbol amarillo.

Federico García Lorca
(español)

Caracola de mar

¿Sabes? En esta bella caracola
viven los pájaros del mar.
¿Lo dudas? Ponla sobre tu oído:
¡La sentirás cantar!

Robinsón Saavedra Gómez

B

Comenta con tus compañeros y compañeras.

1. ¿Qué palabras y frases te han parecido más interesantes y originales?

2. ¿Qué versos tienen más ritmo? ¿Por qué?

C **Explica** qué significa cada imagen.

1. Los peces se arropan con agua del río.

   _____

2. Los niños ven convertirse en pájaros un árbol amarillo.

   _____

3. La caracola canta.

   _____

D **Conversa** con tus compañeros acerca de lo siguiente:

1. ¿Qué te recuerda el movimiento de las hojas en los árboles?
2. ¿Cómo te sientes cuando ves caer la lluvia?
3. ¿En qué piensas cuando escuchas cantar a los pajaritos?
4. ¿Qué sonidos te parecen agradables?, ¿y suaves?, ¿y dulces?, ¿y tristes?
5. ¿Qué ves y qué escuchas cuando cruzas una calle bulliciosa?
6. ¿Qué colores predominan en la naturaleza? ¿Cuáles de ellos te gustan?

E **Imagina** estas escenas. **Explícalas.**

Estás en la playa y

Estás en el campo y

el mar ruge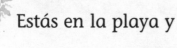

los árboles se mecen en el aire

el mar canta

las flores bailan

una gaviota surca el espacio.

zumban las abejas.

F **Escribe** un poema.

1. Con tus compañeros, haz una lista de otras escenas que te gustaría describir en un poema.
2. Escoge una de las escenas para describir en tu poema.
3. Empieza a escribir. Busca palabras que rimen y palabras con las que puedas crear una imagen.

> **Piensa** en algo bello que hayas visto o imaginado. **Trata** de expresar su belleza con palabras que reflejen lo que has pensado. Para lograrlo, **une** la realidad y la imaginación, como hacen los poetas. **Practica** mucho y **escribe** todo lo que se te ocurra.

4. Cuando termines, hazte las preguntas siguientes:

   ¿Por qué les gustará a los lectores mi poema?

   ¿He usado palabras que hacen interesante lo que he escrito?

   ¿He logrado crear una imagen?

   ¿Tiene ritmo lo que he escrito?

   ¿He usado palabras que riman?

G **Revisa** y **copia** tu poema en una hoja en limpio. **Ilustra** lo que has escrito con un dibujo.

4 Campos y ciudades

¿Qué elementos son
de la ciudad? ¿Cuáles son
del campo?

¿Prefieres vivir en una ciudad
o en el campo? ¿Por qué?

53
Santillana

Los dos ratones

En cierta ocasión, un ratón de la ciudad fue a visitar
a su primo que vivía en el campo, en una humilde ratonera.
El ratón campesino le preparó una rica comida con frutas
del bosque: moras, frutillas, frambuesas y hasta una hermosa
manzana colorada. Pero al ratón de la ciudad no le gustaban
las comidas sencillas, así que dijo:

–Gracias por tu invitación, pero no suelo comer estas cosas.
Vente conmigo a la ciudad. Vivo en una casa muy lujosa
donde se sirven ricos manjares. Verás qué bien se vive allí.

Los dos ratones fueron a la ciudad y se instalaron en un hueco
que había en la antesala de la casa. Realmente era un sitio
muy cómodo.

Llegó la hora de comer y los ratones se asomaron al comedor.
La mesa estaba llena de galletas, pasteles y quesos de todas clases.
¡Tremendo banquete que se iban a dar! Pero, de pronto, oyeron
voces. Era la señora de la casa, que venía armada con una escoba.

Los dos ratones dieron un brinco y corrieron a esconderse.
Al cabo de un rato, los ratones salieron de su escondrijo
y volvieron al comedor. Pero cuando estaban subiéndose
a la mesa, un terrible maullido los asustó.

Mini Diccionario

suelo: acostumbro.
manjares: comidas exquisitas.
antesala: salón que está antes de la sala.
se abalanzó: se tiró.

Era el gato de la casa, que <u>se abalanzó</u> sobre ellos. Los dos ratones salieron corriendo y volvieron nuevamente a su escondrijo.

Por tercera vez intentaron comer algo. Pasito a paso se acercaron al comedor. Pero… de repente, vieron la sombra de un enorme perro. Asustadísimos, los ratones se refugiaron de nuevo en su agujero, en la entrada de la casa.

El ratón de campo, todavía temblando, se despidió del ratón de ciudad:

—Adiós, primo. Tenías razón: en la ciudad hay de todo. Pero yo prefiero vivir en el campo, libre y feliz.

Fábula de Esopo
(griego)
(Adaptación)

A **Selecciona** la oración que mejor conteste las preguntas.

1. ¿Por qué regresó el ratón de la ciudad a su casa?

   ☐ a. Porque la casa de su primo era muy incómoda.

   ☐ b. Porque no le gustó la comida que le sirvió su primo.

   ☐ c. Porque sintió miedo de los peligros del campo.

2. ¿Por qué no le gustó la ciudad al ratón del campo?

   ☐ a. Porque su primo no lo trató bien.

   ☐ b. Porque no le gustaron los amigos de su primo.

   ☐ c. Porque había muchos peligros.

B **Identifica** al ratón del campo y al ratón de la ciudad.
Escribe una palabra que describa a cada uno.

C **Completa** el pensamiento.

Me gusta vivir en (el campo - la ciudad) porque _____

A **Lee** la siguiente oración. **Fíjate** en la palabra destacada.

El ratón de la ciudad vivía en un cómodo agujero, en la **antesala** de una elegante casa.

■ ¿Cómo está formada la palabra *antesala*?

Repasemos

Las **palabras compuestas** son las que se forman de la unión de dos palabras simples.

Ejemplos *antesala* → *ante* + *sala*

antenoche → *ante* + *noche*

B **Une** las palabras de las columnas para **formar** palabras compuestas. **Escríbelas**.

1. _____	para	manos
2. _____	lava	latas
3. _____	auto	caídas
4. _____	espanta	nauta
5. _____	abre	sol
6. _____	astro	bosques
7. _____	gira	móvil
8. _____	guarda	pájaros

A **Lee** las oraciones.

Tengo **un** primo
que vive en
el campo.

Tengo **una** prima
que vive en
la ciudad.

■ ¿Qué observas acerca de las palabras destacadas?

Aprendamos

> Las palabras que se ponen antes de los sustantivos se llaman **artículos**. Las palabras **el**, **la**, **los** y **las** forman un grupo de artículos.
>
> **Ejemplos**   *el campo, el ratón, la casa, los quesos, las frutas*
>
> Las palabras **un**, **una**, **unos** y **unas** forman otro grupo de artículos.
>
> **Ejemplo**   *un gato, una prima, unos manjares, unas galletas*

B **Completa** con **el**, **la**, **los** o **las**. **Recuerda** que las oraciones siempre empiezan con letra mayúscula.

1. ____ calles de ____ ciudad son hermosas.

2. ____ ratones vieron ____ mesa llena de comida.

3. ____ gato de ____ casa quería comerse a ____ dos ratones.

4. ____ señora no quería ratones en ____ comedor.

C **Completa** con **un**, **una**, **unos** o **unas**. **Recuerda** que las oraciones siempre empiezan con letra mayúscula.

1. Era ____ casa muy lujosa.

2. La señora tenía ____ perro y ____ gato que eran sus mascotas.

3. En ____ pared había ____ hueco donde vivían ____ ratones.

D **Lee** las oraciones.

Fui **a la** ciudad.   Fui **al** campo.
Vengo **de la** ciudad.   Vengo **del** campo.

■ ¿En qué se parecen las palabras destacadas?
¿En qué se diferencian?

Aprendamos

Cuando se usa la palabra **a** delante del artículo **el** se usa la contracción **al** en vez de **a el**.

Ejemplos *Voy al cine. Vi **al** primo de Luis.*

Cuando se usa la palabra **de** delante del artículo **el** se usa la contracción **del** en vez de **de el**.

Ejemplo *Vengo **del** colegio. Voy a la casa **del** señor Pérez.*

E **Completa** usando las palabras que corresponden.

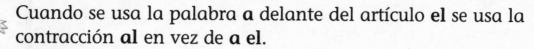

a la   al   de la   del

1. El ratón _____ campo le tenía miedo _____ ciudad.

2. Fuimos _____ feria y nos subimos _____ carrusel.

3. Los alumnos _____ tercer grado se fueron de excursión _____ campo.

4. Mi mamá es amiga _____ señorita Ávila y _____ señor Pérez.

F **Encierra** en un círculo todos los artículos que encuentres en esta historia.

María es una doctora, pero ella no atiende a las personas. Ella es una doctora que atiende a los animales. María cura a las mascotas de los niños y las niñas. Ayer tuvo una emergencia porque le llevaron un perro que había sido atropellado por un carro y tenía una pata rota.

La dirección de mi primo Ramón

A **Lee** este sobre.

Ramón Pérez
715 Camino del Mar
San Clemente, CA 92673

B Ahora **contesta**.

1. ¿A quién va dirigido el sobre?

   Al niño
   _____

2. ¿En qué calle vive el primo Ramón?

   _____

3. ¿Cuál es el número de su casa?

   _____

4. ¿En qué ciudad vive el primo Ramón?

   _____

5. ¿En qué estado vive el primo Ramón? ¿Cómo lo sabes?

   _____

Mi dirección

A **Escribe** estos datos.

1. ¿Cuál es tu nombre y apellido?

   _____

2. ¿En qué calle y qué número vives?

   _____

3. ¿En qué ciudad o pueblo vives?

   _____

4. ¿En qué estado vives?

   _____

5. ¿Cuál es el número de tu código postal?

   _____

B Ahora **intercambia** tu libro con un compañero o compañera. **Escribe** un sobre con su nombre y dirección.

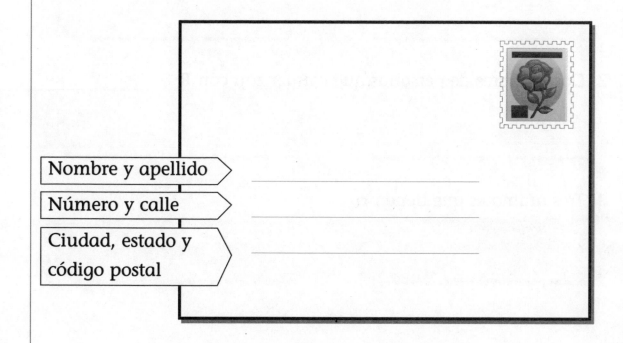

Nombre y apellido

Número y calle

Ciudad, estado y código postal

Busca los nombres de siete animales y cinco personas.

A	R	D	I	L	L	A	B	U	R	R	O
X	R	U	E	A	C	U	L	D	Q	H	P
Ñ	R	D	M	M	U	B	R	T	U	S	O
R̃	O	T	A	R	L	C	A	A	I	R	P
O	S	A	R	A	E	N	T	R	E	A	E
S	N	Q	T	R	B	K	Ó	R	T	M	R
A	R	U	A	R	R	A	N	R	I	I	R
M	R	R	I	T	A	Ñ	Z	O	R	R	O
R	P	D	P	A	J	A	R	I	T	O	L

Completa el ejercicio que sigue:

1. Dos animales que tienen **rr**:

2. Dos nombres de personas que comienzan con **R**:

3. Tres animales que tienen **r**:

El labrador

Ya me voy, me voy al campo,
con la pala y el rastrillo
y un granito de maíz
escondido en el bolsillo.

Gallinita blanca y negra,
la del vestido a cuadritos
y el sombrero colorado,
¡no te comas mi granito!

En mi campo, en mi campito,
voy a sembrar mi maíz
porque quiero que le salgan
piececitos de raíz,

un cuerpo de caña verde,
unos dedos largos, de hojas,
dientecitos amarillos
y una linda barba roja.

Tradicional

■ **Contesta:**

¿Qué hace el labrador del poema? _____

_____

5 Aprecio la naturaleza

¿Te gustaría estar con los niños y las niñas de la imagen?
¿Por qué?

¿Cómo crees que va a terminar la actividad que llevan a cabo los personajes?

¿Cómo se relacionan el título, *Aprecio la naturaleza*, y la imagen?

Señora Naturaleza

Vivimos en un planeta
todo lleno de riquezas
que nos da la generosa
señora Naturaleza.

Si uno abre bien los ojos
puede ver muchos tesoros:
la Luna es de plata pura,
la luz del Sol es de oro.

Los bosques son <u>esmeraldas</u>
y los mares son <u>turquesas</u>,
las montañas son <u>diamantes</u>
con nubes en la cabeza.

Señora Naturaleza,
dama de las mil bellezas:
insectos muy pequeñitos,
profundidades inmensas.

Todo parte de los mismos
mil rayos de un solo Sol,
el pasto, el agua del río,
los árboles, tú y yo.

Adela Basch
(argentina)

Mini Diccionario

esmeraldas: piedras preciosas de color verde.
turquesas: piedras preciosas de color azul.
diamantes: piedras preciosas transparentes.
ilumine: de luz.

Las mañanitas de Sol

¿Puedo abrir la ventana
y que entre la mañana?
¿Puedo abrir el balcón
para que caliente el Sol?

Quiero meter en la casa
el Sol tibio de la plaza,
quiero que todos los niños
jueguen en la terraza.

Mamá, abre la ventana,
para que el Sol me acaricie
como todas las mañanas
y que ilumine mis sábanas.

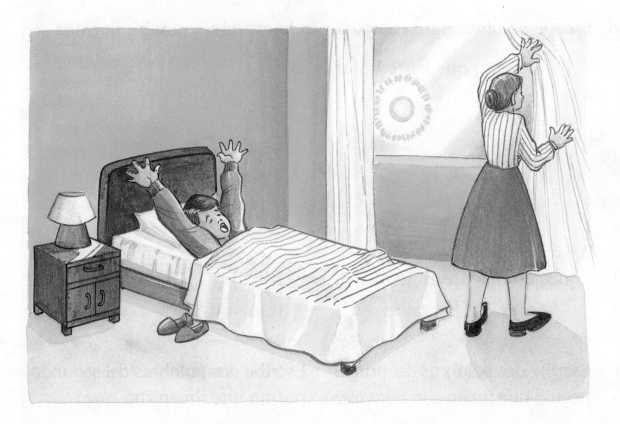

A **Une** los elementos de la naturaleza con el tesoro correspondiente, según su parecido.

1. Luna   esmeralda

2. Sol   plata

3. bosque   turquesa

4. mar   oro

B **Escoge** palabras para completar cada oración según los poemas.

1. Los poemas que leíste tratan sobre _____.

el Sol   la Luna   la naturaleza

2. La naturaleza es _____ , pues nos da muchas riquezas.

bonita   generosa   inmensa   caliente

C **Escribe** dos palabras del primer poema que rimen con *naturaleza*.

naturaleza

Escribe dos palabras del segundo poema que rimen con *plaza*.

plaza

A **Observa** las ilustraciones y **lee** las oraciones.

1. Mira, te traje buenas notas.

2. ¿Qué traje le gusta más?

■ ¿En qué se parecen las dos oraciones?
  ¿En qué se diferencian?

Aprendamos

Hay muchas palabras que tienen más de un significado que debes aprender.

Ejemplos muñeca — la de la mano
la de jugar

B **Completa** con la palabra adecuada de la derecha.

1. Dame la _____ de papel.

2. El niño se lastimó la _____.

3. Se cayó una _____ del árbol.

hoja

4. La _____ de la niña
es nueva.

muñeca

A **Observa** los dibujos y **escribe** una palabra que diga cómo es cada uno.

_____   _____

■ ¿Qué expresan las palabras que escribiste?

Repasemos

Las palabras que nos dicen cómo son las personas, los animales y las cosas se llaman **adjetivos.**

Ejemplo   _Claudia es muy **amable**._

B **Escribe:**

1. Las flores son

3. Las jirafas son

_____   _____

2. Los conejos son

4. La playa es

_____   _____

C **Observa** atentamente los dibujos. **Subraya** las palabras que mejor describen cada insecto.

linda	liviana
cariñosa	delicada
bella	bajita

horrible	fea
grandota	delgada
peluda	alta

D **Escribe** dos adjetivos después de cada nombre.

1. cielo _____ y _____

2. nube _____ y _____

3. tierra _____ y _____

4. montañas _____ y _____

5. mar _____ y _____

E **Escribe** dos adjetivos antes de cada nombre.

Nota que los adjetivos pueden ir antes o después del nombre.

1. _____alta y brillante_____ estrella

2. _____ y _____ abeja

3. _____ y _____ noche

4. _____ y _____ día

5. _____ y _____ árboles

Los animales

A ¿Cómo son los animales que viven en los bosques y los ríos? **Mira** la rana que vive en el río y **contesta**.

1. ¿De qué tamaño es?_____

    grande   pequeña   mediana   chiquita

2. ¿De qué color es?_____

    gris   verde   negra   amarilla

3. ¿Cómo es su piel? _____

    lisa   peluda   suave   escamosa

4. ¿Cómo son sus ojos? _____

    grandes   redondos   pequeños   saltones

5. ¿Cómo son sus patas? _____

    largas   cortas   fuertes

B **Escribe** y **completa** el párrafo.

La rana es un animal _____, de color _____.

Tiene la piel_____ y los ojos _____.

Tiene _____ que son _____.

Mi animal

A **Dibuja** y **pinta** un animal que conozcas bien.

1. ¿Qué animal dibujaste? _____

2. ¿De qué tamaño es? _____

3. ¿De qué color es? _____

4. ¿Cómo es su piel? _____

5. ¿Cómo son sus ojos? _____

6. ¿Cuántas patas tiene? _____

7. ¿Cómo son? _____

B **Escribe** un párrafo sobre el animal que dibujaste.

_____

_____

_____

_____

_____

_____

A **Selecciona** el adjetivo adecuado y **completa** las oraciones siguientes:

1. Le gusta expresar cariño.

   Es una niña _____ .

   cariñosa

   triste

2. Trabaja mucho.

   Es un niño _____ .

   rápido

   laborioso

3. Le gusta ayudar a los demás.

   Es un niño _____ .

   feliz

   bondadoso

4. Tiene muchos amigos y amigas.

   Es una niña _____ .

   amistosa

   inquieta

5. Se asusta fácilmente.

   Es un niño _____ .

   callado

   miedoso

6. Le gusta aprender.

   Es una niña _____ .

   estudiosa

   alegre

■ ¿En qué se parecen los adjetivos que escribiste?

Aprendamos

Soy hermoso, maravilloso y fabuloso.

Muchos adjetivos que terminan en **-oso** u **-osa** se escriben con **s**.

Ejemplos   *cariñoso, estudiosa, hermoso*

¡A construir un herbario!

■ **Sigue** las instrucciones para preparar tu colección de hojas y flores.

1. **Recoge** del suelo, en un jardín o un parque las hojas y las flores que te gusten.

2. **Coloca** las hojas y las flores entre las páginas de un periódico.

3. **Pon** algunos objetos pesados sobre el periódico.

4. **Espera** a que pasen cuatro días, y abre el periódico.

5. **Pega** las flores y las hojas en una cartulina.

6. **Identifica** cada flor y cada hoja.

¡Ya tienes tu herbario!
Con él puedes hacer
un álbum, unas tarjetas
o un cuadro.

6 Mi familia

¿Por qué crees que se ha reunido esta familia?

¿Has participado en una actividad como ésta? ¿Cuándo?

¿Qué título le darías a esta escena?

Un cuento enredado

Mónica estaba muy aburrida. Entonces se fue donde se encontraba su abuelo, que estaba leyendo el periódico y le dijo:

—Abuelito, cuéntame un cuento.

El abuelito dejó su periódico, se puso a pensar y comenzó con el cuento:

—"Había una vez una niña que se llamaba Caperucita Amarilla..."

—¡No! ¡Roja! —exclamó Mónica.

—Sí, sí, Caperucita Roja. Su mamá la llamó y le dijo "Escucha, Caperucita Verde..."

—Pero no, abuelito, ¡es Caperucita Roja!

—¡Sí, sí...! Roja, "ve a la casa de tu tía y llévale estas cáscaras de papa".

—¡No es así! Le dijo: "Ve a la casa de tu abuelita y llévale este pastel".

—¡Está bien! "La niña fue al bosque y se encontró con una jirafa".

—¡Qué <u>enredo</u>, abuelo! Se encontró con el lobo, no con una jirafa.

—Y el lobo le preguntó: "¿Cuánto es seis más catorce?"

—Abuelo, el lobo le preguntó: "¿Adónde vas?"

—¡Está bien! Y ella respondió: "Voy al mercado a comprar salsa de tomate".

—¡Otra vez...! Lo que dijo fue: "Voy a casa de mi abuelita pero no encuentro el camino".

—¡Exacto! "Y el caballo dijo..."

—¿Cuál caballo?, si era una jirafa. ¿Qué digo? Era un lobo.

Mini Diccionario

enredo: confusión.

–Será. Y entonces dijo: "Súbete al autobús, baja en la plaza de la catedral, da la vuelta a la derecha y encontrarás una moneda. Con ella cómprate algo".

–Tú no sabes contar cuentos, abuelo. Lo enredas todo. Pero mientras tanto, ¿me puedo comprar un helado?

–¡Puedes!... Toma una moneda.

Y el abuelo siguió leyendo su periódico con una sonrisa en los labios.

Gianni Rodari
(italiano)
(Adaptación)

A **Marca** de qué cuento es cada oración.

	Del abuelo	De Caperucita Roja
1. Escucha, Caperucita Verde.	☐	☐
2. Llévale este pastel a tu abuelita.	☐	☐
3. En el camino se encontró una jirafa.	☐	☐
4. El lobo le preguntó: ¿Adónde vas?	☐	☐

B **Corrige** el cuento del abuelo.

1. Había una vez una niña que se llamaba Caperucita Amarilla.

   Había una vez una niña que se llamaba _____ .

2. Su mamá le dijo: "Ve a casa de tu tía y llévale estas cáscaras de papa".

   Su mamá le dijo: "Ve a casa de tu _____ y llévale _____ ".

3. La niña se fue al bosque y se encontró una jirafa.

   La niña se fue al bosque y se encontró con _____ .

4. Y el lobo le preguntó: "¿Cuánto es seis más catorce?"

   Y el lobo le preguntó: "¿ _____ ?"

5. Y Caperucita respondió: "Voy al mercado de compras".

   Y Caperucita respondió: " _____ ".

C **Completa** el pensamiento.

1. Creo que el abuelo contaba mal el cuento de Caperucita Roja porque _____

   _____

   _____

VOCABULARIO

A **Lee** la siguiente oración:

Tú no sabes contar
cuentos.

■ ¿Qué significa
la palabra *contar*
en esta oración?
¿Qué otro significado
tiene *contar* para ti?

Repasemos

Las palabras que se escriben igual, pero tienen significados
diferentes se llaman **homónimos**.

Ejemplos   *coma (del verbo comer)* y *coma (el signo*
de puntuación)

B **Escribe** dos significados para cada palabra.

1. banco _____
   _____

2. bote _____
   _____

3. cara _____
   _____

4. tarde _____
   _____

A **Fíjate** en las personas y en los objetos de la ilustración.

■ **Completa**, según el ejemplo.

1. niña   niñas   3. papel _____

2. pizarrón _____   4. lonchera _____

■ ¿Cómo terminan las palabras que escribiste?

Repasemos

Las palabras que se refieren a una sola cosa, animal o persona, están en **singular**.

Ejemplos *niña, pizarrón, papel*

Las palabras que se refieren a más de una cosa, animal o persona, están en **plural**.

Ejemplos *niñas, pizarrones, papeles*

B **Indica** si estas palabras están en singular (**S**) o en plural (**P**).

____ 1. camino   ____ 4. flores   ____ 7. lápices

____ 2. pasteles   ____ 5. labios   ____ 8. cáscaras

____ 3. bosque   ____ 6. árboles   ____ 9. autobús

Repasemos

Para formar el plural de las palabras que terminan en **n**, **r**, **l** o **s**, añadimos **-es**.

C **Completa** el plural de las siguientes palabras:

1. tapón _____   5. pedal _____

2. pastel _____   6. país _____

3. tambor _____   7. patín _____

4. campeón _____   8. cereal _____

Repasemos

Para formar el plural de las palabras que terminan en **z**, cambiamos la **z** por **c** y añadimos **-es**.

D **Completa** el plural de las siguientes palabras:

1. vez _____   3. luz _____

2. lápiz _____   4. nariz _____

E **Escribe** el plural de estas palabras:

1. piso _____pisos_____   4. pez _____

2. animal _____   5. flor _____

3. imán _____   6. color _____

El regalo de mamá

A **Mira** los dibujos y **escribe** los diálogos.

—Bruno, ¿recibiste mi regalo? —preguntó la mamá de Bruno.

—¡Sí! ¿Qué es, mamá? —dijo Bruno.

—_____ —afirmó la mamá.

—_____ —exclamó Bruno con alegría.

—_____ —le recomendó la mamá.

—_____ —prometió Bruno.

B **Imagina** qué conversan Bruno y una amiga. **Escribe** el diálogo.

— _____

— _____

— _____

— _____

— _____

— _____

— _____

Mi regalo

A **Observa** esta historieta y **escribe** en las burbujas lo que dice cada personaje.

Completa la tabla, de acuerdo con el ejemplo.

	se - si	ce - ci
	semilla	
		cima

Mi familión

Tengo una linda familia,
es decir, un familión,
porque somos tantos niños,
padres, tíos: ¡un montón!

Si empezamos por mi padre
y mi madre, ya son dos,
cinco somos entonces
con mis hermanos y yo.

Si a mis abuelos sumamos
a este largo listón,
seremos nueve entre todos
¡una gran generación!

Cuando llegan de visita,
mis tíos de Nueva York
seguro que somos trece.
¡Cómo crece el familión!

De mis primos, ni se diga,
si los vamos a incluir:
doce queridos amigos
para jugar y reír.

Como ve, somos bastantes
generalmente, señor,
gentiles y generosos,
genuinos de vocación.

¡Qué dicha la que yo siento,
tanta gente, tanto amor,
pero yo los tengo a todos
prendidos del corazón!

Rosario Márquez Rodríguez
(*puertorriqueña*)

■ **Contesta:**

¿Qué quiere decir: *pero yo los tengo a todos prendidos del corazón*?

Unidad 4

A **Combina** las siguientes palabras simples y forma palabras compuestas.

1. cumple   **a.** caminos

2. para   **b.** años

3. corre   **c.** cielos

4. traba   **d.** rayos

5. rasca   **e.** lenguas

B **Completa** las oraciones con un artículo apropiado. **Usa** *el, la, los, las,* o *un, una, unos, unas.*

1. _____ girasol gira con _____ luz del Sol.

2. Ellos visitan a _____ amigas en _____ campo.

3. _____ calles de _____ ciudad se ven muy limpias.

4. _____ dos ratones no tenían _____ mismas ideas.

5. _____ primo preparó _____ comida deliciosa.

C **Tacha** los errores. **Escribe** *al* o *del* en el recuadro que corresponde.

[ ]   1. A el ratón no le gustó la comida.

[ ]   2. Mi amigo llegó de el campo.

[ ]   3. Mañana iremos a la ciudad.

[ ]   4. Mis primos son de el sur.

D **Lee** los siguientes datos. **Encierra** en un círculo las palabras que deben llevar mayúscula.

Mi abuelo se llama Jacinto lópez. Es mexicano y vive en guadalajara. Su dirección es, calle buenavista, 41. Un día piensa venir a los Estados unidos para visitarnos.

Unidad 5

A **Une** cada sustantivo con el adjetivo adecuado.

1. Sol

2. pájaros

3. hierba

4. nubes

a. blancas

b. brillante

c. verde

d. cantores

B **Completa** cada oración con el adjetivo del recuadro relacionado con la palabra destacada.

hermoso   tristes   cuidadoso

1. Los pájaros volaban con **tristeza**.

   Los pájaros estaban _____ .

2. El Sol tuvo **cuidado** de no quemar a los pájaros.

   El Sol fue _____ .

3. Después de la lluvia salió un arco iris de gran **hermosura**.

   El arco iris era _____ .

C **Describe** tu mascota o un animal que te guste. Luego, **dibújalo** en el recuadro.

1. Este animal es un/una _____ .

2. Se llama _____ .

3. Tiene _____ patas.

4. Es de color _____ .

5. Sus ojos son _____ .

6. Me gusta porque es _____

   _____ .

A **Escribe** el significado de cada palabra destacada.

1. No tengo **nada** para ti.
2. No **traje** el dinero.
3. Enrique **nada** muy bien.
4. Me gusta el **traje** que llevas puesto.

1. nada _____

2. traje _____

3. nada _____

4. traje _____

B **Marca** con **S** las palabras que están en singular y con **P** las que están en plural.

una niña ☐   un helado ☐

el pizarrón ☐   Caperucita Roja ☐

los abuelos ☐   el lobo feroz ☐

una vez ☐   tres jirafas ☐

C **Escribe** las siguientes palabras en plural.

luz	cereza	pastel	cuento

_____

camión	sonrisa	azul	tomate

_____

La historieta

A Esta historieta cuenta parte de un cuento titulado *La apuesta*.
Observa los dibujos y **lee** con atención los textos.

Las **historietas** narran algo breve y divertido, como un cuento, un chiste o una anécdota, por medio de dibujos y textos.
Si queremos hacer una historieta, es necesario:

- Pensar qué nos gustaría contar con dibujos y palabras: un cuento, una aventura, un chiste...
- Decidir en cuántas partes queremos dividir la historieta.
- Hacer los dibujos correspondientes a cada parte.
- Escribir dentro de un globo lo que dice cada personaje.

■ En las historietas, los textos se colocan en los siguientes tipos de globos:

- Lo que dice cada personaje se coloca en un globo como éste:

- Los pensamientos de los personajes aparecen en globos como el siguiente:

- Los gritos, exclamaciones y ruidos se encierran en un globo como éste:

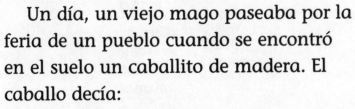

B Lee esta historia.

El caballo de madera

Un día, un viejo mago paseaba por la feria de un pueblo cuando se encontró en el suelo un caballito de madera. El caballo decía:

—¡Ay! Ya no sirvo para nada.

El mago sintió pena y le dijo al caballito que le concedería un deseo.

Lo que más deseaba el caballito era trotar como un caballo de verdad. El mago dijo unas palabras mágicas y, al instante, el caballito salió trotando hacia la pradera.

C **Transforma** la historia del caballito de madera en historieta.

    1. **Haz** los dibujos en cada cuadro.

    2. **Encierra** en un globo lo que dice cada personaje.

D **Piensa** en algún chiste que sepas o en algo divertido que te haya sucedido. **Cuéntalo** en forma de historieta.

7 Protejamos el ambiente

¿Qué les ocurre a las personas de esta escena?

¿Te gustaría estar en este lugar? ¿Por qué?

¿Cómo se puede mejorar el ambiente?

La ciudad invadida por los autos

Había una ciudad <u>invadida</u> por los automóviles.
Había autos en todas partes: en las calles,
en las aceras, en las plazas, dentro de las tiendas.
Y si te descuidabas, hasta en la sopa podías
tropezarte con un auto.

Mini Diccionario

invadida: ocupada.

circulación: movimiento de personas y vehículos por las calles.

parachoques: parte del auto que aguanta los golpes.

abollaban: aplastaban.

cajuelas: baúles de los automóviles.

recorrido: camino.

alcaldía: municipalidad, oficina del alcalde.

La circulación en la ciudad era imposible;
los autos chocaban unos contra otros.
Se les dañaban los parachoques, se les rompían
los cristales y se les abollaban las cajuelas.

Y llegó un día en que los autos eran tantos que no se podían
mover. Entonces, se quedaron quietos. La gente comenzó
a caminar de un lugar a otro.

Pero andar por la ciudad no era fácil, porque los autos
ocupaban todo el espacio. La gente tenía que subirse
a los automóviles y caminar por encima de los autobuses.

Otras veces, cuando las personas querían acortar el recorrido,
gateaban por el suelo y se deslizaban por debajo de los camiones.

Como pueden suponer, los vecinos de aquella ciudad
estaban enojados, muy enojados. Y todos juntos decidieron
ir a la alcaldía para protestar por la situación.

¿Qué sucedería? ¿Se arreglaría el problema de la circulación?...

Gianni Rodari
(italiano)
(Adaptación)

A **Ordena** las escenas con números del **1** al **3**, según la manera como sucedieron.

B **Marca** el final que más te guste.

☐ Los vecinos construyeron una ciudad sin automóviles.

☐ Un genio inventó automóviles con alas.

☐ El alcalde y la comunidad decidieron reducir el número de autos en las calles.

C **Inventa** un final diferente a los anteriores.

_____

_____

_____

_____

_____

_____

_____

_____

A **Lee** lo que dice Raúl acerca de su pueblo.

El pueblo donde vivo es **lindo**, **bonito**, **hermoso**, **bello**, **precioso**.

■ ¿Qué observas en las palabras destacadas?

Repasemos

Las palabras que tienen el mismo significado o uno parecido se llaman **sinónimos**.

B **Lee** las palabras de los recuadros. **Utilízalas** para sustituir las palabras destacadas en las oraciones que siguen.

luchar   empezó   caminar   gran   carro

1. Una **enorme** cantidad de autos chocaron.

2. La gente **comenzó** a protestar.

3. Hay veces que es necesario **pelear** por nuestros derechos.

4. No se movía ningún **automóvil**.

5. Era más fácil **andar** por la ciudad.

GRAMÁTICA

A **Lee** estas oraciones:

1. Yo **camino** a la escuela ahora.
2. Tú **caminaste** a la escuela ayer.
3. Ella **caminará** a la escuela mañana.

■ ¿Qué clase de palabra es *caminar*?

Repasemos

El **verbo** es la parte de la oración que expresa acción.

Ejemplos *camina, chocaron*

El verbo cambia, de acuerdo con el tiempo en el cual ocurre la acción –**pasado**, **presente** o **futuro**– y con la persona que la realiza.

Ejemplos *Yo comí. Tú comes. Ellos comerán.*

B **Llena** los espacios con el verbo adecuado.

chocan   chocaron

1. Los autos _____ ayer.

avisaré   avisaremos

2. Yo te _____ luego.

suben   subiste

3. Juan y Daniela _____ al autobús.

irán   iban

4. Los vecinos _____ a la alcaldía mañana.

C **Observa** las ilustraciones y **completa** la oración.

1. Mi mamá <u>habla por teléfono</u>.   **2.** La niña _____.

■ **Escribe:**

¿Quién realiza la acción?   ¿Qué hace?

1. <u>Mi mamá</u>   <u>habla por teléfono.</u>

2. _____   _____

■ ¿Cómo se llama cada una de estas partes de la oración?

Repasemos

La parte de la oración que expresa de quién o de quiénes se habla es el **sujeto.** La parte de la oración que expresa qué hace el sujeto es el **predicado.**

Ejemplos   <u>*Mi mamá* *habla por teléfono.*</u>
            sujeto   predicado

D **Lee** las oraciones y **separa** el sujeto (**S**) del predicado (**P**).

1. El camión se quedó parado.
    S   P

2. Los niños esperan el autobús.

3. Los vecinos están enojados.

4. Los autos circulan por la ciudad.

De excursión

A **Observa** esta escena con atención. **Contesta** las preguntas escribiendo oraciones con sujeto y predicado.

1. ¿Dónde está esta familia?

   _____

2. ¿Cómo está el día?

   _____

3. ¿Qué hace la familia?

   El papá _____

   La niña _____

   Su hermano _____

   La mamá _____

4. ¿Cómo cuida el ambiente esta familia?

   _____

   _____

B **Observa** esta escena con atención y **compárala** con la escena anterior. **Contesta** las preguntas escribiendo oraciones con sujeto y predicado.

1. ¿Dónde está esta familia?

_____

2. ¿Cómo está el día?

_____

3. ¿Qué hace la familia?

El papá _____

La niña _____

Su hermano _____

La mamá _____

4. ¿Cómo descuida el ambiente esta familia?

_____

_____

A **Lee** estas palabras en voz alta y **fíjate** en las letras destacadas.

tie**mp**o   ta**mb**or   ca**mp**o   co**mp**ra

■ ¿Qué observas acerca del uso de la letra *m*?

Aprendamos

Antes de la **p** y de la **b**, se escribe **m**, y no **n**.

Ejemplos   *compañera, sombrero*

B **Completa** estas palabras:

1. tie ☐ po   4. lo ☐ briz   7. te ☐ prano

2. te ☐ blor   5. bo ☐ billa   8. aso ☐ brado

3. tra ☐ polín   6. co ☐ poner   9. so ☐ bra

C **Completa** las palabras con *mp* o con *mb*, de acuerdo con la definición.

1. Es un caramelo o dulce pequeño.

   Es un bo _____.

2. Es la persona que se sienta a mi lado en clase.

   Es mi co _____.

3. Es colocar semillas en la tierra para que nazcan plantas.

   Es se _____.

4. Es dar luz o iluminar.

   Es alu _____.

Ronda para correr

Corre, corre, corre
a orillas del mar.
A la rueda rueda
de espuma y sal.

Corre, corre, corre
a orillas del mar
que las olas quieren
contigo jugar.

Corre, corre, corre
a orillas del mar
a la rueda rueda
de oro y cristal

Corre, corre, corre
a orillas del mar
que las olas quieren
contigo jugar.

Yolanda Lleonart

■ **Contesta:**
¿Cómo es el lugar donde la autora del poema quiere que corras?

8 Todos contamos

¿Por qué marchan
las personas de la imagen?

¿Crees que es importante
lo que hacen estas personas?

¿Has participado o te gustaría
participar en una marcha?

¿Por qué causas marcharías?

Cuando el río suena

Hace mucho tiempo hubo una asamblea para decidir cómo debería ser el río.

–Para mí tendría que ser rápido y frío –dijo el <u>salmón</u>.

–Yo necesito que tenga aguas tranquilas para depositar mis huevecillos –dijo la <u>carpa</u>.

–Y yo, que tenga zonas de aguas tibias. ¡No me gusta el agua fría! –dijo el <u>paiche</u>.

–A mí sí me gusta el agua fría –agregó la <u>trucha</u>–. Además, necesito que el río tenga piedras al fondo. ¡A mis hijitos les encanta jugar entre las piedras!

La <u>libélula</u> se acercó volando.

–¿De qué hablan? –preguntó.

Un osito le contestó:

Mini Diccionario

salmón: pez de mar que pone sus huevos en ríos.

carpa: pez de ríos y lagos.

paiche: pez de río.

trucha: pez de ríos y lagos.

libélula: insecto que vive en ríos, lagos y pantanos.

replicó: respondió.

desprecio: odio.

grulla: ave de patas y cuello muy largos.

esteros: aguas poco profundas y quietas.

nutria: mamífero nadador que come peces.

–¿Cómo te gustaría que fuera el río? Porque yo necesito que tenga peces con que alimentarme.

La libélula <u>replicó</u> con <u>desprecio</u>:

–Hagan lo que quieran con el río. A mí sólo me interesan sus orillas para criar allí a mis hijitos.

–¡Qué presumida! –dijo la <u>grulla</u>–. Yo soy mucho más interesante y bella, por eso necesito que el río tenga claros <u>esteros</u> para ver mi imagen reflejada en el agua.

La <u>nutria</u>, siempre elegante, dijo:

–Un río debe tener curvas y remolinos, correr lentamente por algunos lugares y rápidamente por otros. Así yo puedo brincar y saltar, nadar y jugar.

–¡Un momento! –dijo un niño–. ¡Hemos olvidado algo importante!

–¿Qué? –preguntaron los animales.

–Que nadie contamine el agua del río para que vivamos mejor.

Todos estuvieron de acuerdo. Y el río aceptó todos los pedidos. Así, fue tan variado en su largo camino que permitió a cada uno encontrar lo que necesitaba para vivir.

María Antonia Candela
(mexicana)
(Adaptación)

A **Une** a cada personaje con lo que dijo.

La carpa:

La trucha:

La libélula:

Un niño:

–Yo necesito que el río tenga piedras al fondo.

–Que nadie contamine el agua.

–Hagan lo que quieran con el río.

–Yo necesito que tenga aguas tranquilas.

B **Marca** la respuesta correcta.

1. Este cuento nos enseña que

☐ los animales le hacen daño al río.

☐ todos tenemos derecho a la vida.

☐ los animales pueden hablar.

2. El río dio a los animales

☐ lo que ellos necesitaban.

☐ muchos problemas.

☐ aguas contaminadas.

C **Contesta**.

¿Qué podría ocurrir si no cuidamos y compartimos los recursos que todos necesitamos?

_____

_____

A **Lee** y **observa**.

Veo una silla.

Veo una sillita.

Repasemos

El **diminutivo** de algunas palabras se forma con las terminaciones **-ito** o **-ita**.

Ejemplos   *sapo - sapito, rana - ranita*

B **Escribe** el diminutivo de estas palabras:

1. hijo _____   4. momento _____
2. casa _____   5. pescado _____
3. camino _____   6. estrella _____

Aprendamos

El diminutivo también se puede formar con las terminaciones **-cito** o **-cita**.

Ejemplos   *baile - bailecito, mujer - mujercita*

C **Escribe** el diminutivo de estas palabras:

1. duende _____
2. lugar _____
3. coche _____
4. calor _____
5. canción _____
6. corazón _____

A **Encierra** en un círculo la sílaba que se pronuncia con más fuerza en cada palabra.

1. (rá) (pi) (do)   3. (ra) (tón)   5. (co) (li) (brí)

2. (pe) (ces)   4. (hi) (ji) (tos)   6. (o) (si) (to)

■ ¿Recuerdas cómo se llaman esas sílabas?

Repasemos

La sílaba que pronunciamos con mayor fuerza se llama sílaba **tónica**.

Ejemplos   salmón, imagen

Aprendamos

Las sílabas que se pronuncian con menor fuerza que la sílaba tónica se llaman **átonas**.

Ejemplos   salmón, imagen

B **Lee** y **pronuncia** lentamente. **Colorea** de rojo la sílaba tónica y de azul, las sílabas átonas. **Sigue** el ejemplo.

1. (sí) (la) (ba)   5. (ár) (bol)

2. (plá) (ta) (no)   6. (di) (fí) (cil)

3. (li) (bro)   7. (pa) (pel)

4. (mu) (ñe) (ca)   8. (re) (don) (da)

C Lee las siguientes palabras. **Divídelas** en sílabas.
Sigue el ejemplo.

1. calabaza

   ca-la-ba-za

2. espantapájaros

3. hielo

4. búho

5. pregunta

6. abecedario

7. maletín

D **Divide** en sílabas. **Coloca** cada sílaba dentro de un cuadrito.
Escribe cuántas sílabas tiene cada palabra. **Sigue** el ejemplo.

| cangrejo | comer | esconder | trucha |
| libélula | arena | grulla | hijitos |

1. | *can* | *gre* | *jo* | | *3* |

2. | | | | | |

3. | | | | |

4. | | | | |

5. | | | | |

6. | | | | |

7. | | | |

8. | | | | |

Las opiniones de los niños

A **Completa**.

bien   mal

¿Qué te parece si vamos a pescar?

Me parece muy _____

porque _____

B **Opina** y **escribe** por qué.

¿Qué te parece si tiramos basura a un río?

_____

_____

Mis opiniones

A **Observa** las escenas y **coméntalas** con un compañero o compañera.

B **Escribe** tu opinión.

¿Qué te parece sacar los huevos de un nido?

A mí me parece _____

porque _____

_____

_____

_____

¿Y qué te parece ayudar a mantener limpio el parque?

A mí me parece _____

porque _____

_____

_____

_____

A **Lee** las siguientes palabras en voz alta:

güiro

águila

manguera

■ ¿Qué ocurre con el sonido de la *u* en cada palabra?

Aprendamos

Si quieres que suene la *u* en las sílabas **gue** o **gui**, debes escribir sobre esa letra dos puntitos, que se llaman **diéresis** (ü). La *u* que va antes de la *i* o de la *e* no se pronuncia si no tiene diéresis.

Ejemplos
agüita, amiguita
güero, guerrero

B **Coloca** la diéresis sobre la *u*, si se necesita.

cigueña

juguetes

guitarra

guía

guindas

pinguino

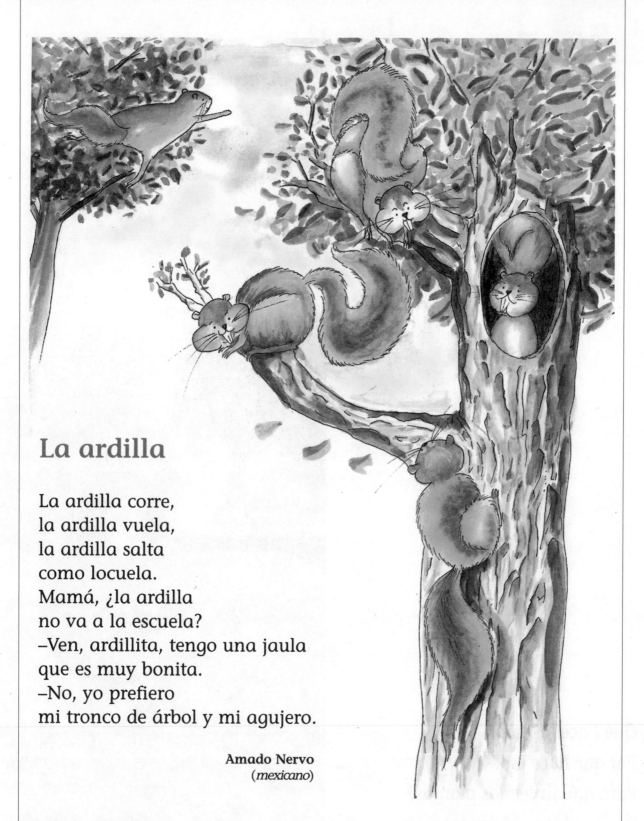

La ardilla

La ardilla corre,
la ardilla vuela,
la ardilla salta
como locuela.
Mamá, ¿la ardilla
no va a la escuela?
–Ven, ardillita, tengo una jaula
que es muy bonita.
–No, yo prefiero
mi tronco de árbol y mi agujero.

Amado Nervo
(*mexicano*)

■ **Contesta:**
¿Quiénes conversan o platican en este poema?

9 Las plantas

¿Qué hace la niña?

¿Por qué hace eso?

¿Para qué sirven las plantas?

¿Por qué las cultivamos?

¿Qué plantas hay en tu escuela
o en tu casa?

El girasol

Había una vez una semillita <u>ovalada</u> que cayó entre dos rocas. Se sintió muy triste porque allí no podía <u>germinar</u>. Ella quería transformarse en una hermosa planta. Un día llegó el Sol y le dijo:

—Linda semillita,
soy el padre Sol.
Ábreme la puerta,
te daré calor.

La semilla se asustó. ¡Hacía tanto tiempo que estaba sola! Además, era muy tímida. De momento pensó que no necesitaba calor y contestó:

—Gracias, padre Sol.
Yo tengo calor.

Sin embargo, la semilla se quedó esperando otra llamada. Ya conocían su casa y ella tenía esperanzas de poder germinar.

Mini Diccionario

ovalada: con forma de huevo.
germinar: brotar una planta.
ladera: parte alta y empinada.
fértil: que produce frutos.
pecosito: con manchitas como pecas.

Un día llegó la Lluvia y le dijo:

> –Linda semillita,
> soy la madre Lluvia.
> Ábreme la puerta,
> te daré agua pura.

Como no podía pasar entre las rocas, la semilla le habló desde el fondo de la casita:

> –Gracias, siga usted,
> pues no tengo sed.

La madre Tierra oyó la voz débil de la semilla y pensó ayudarla. Se dirigió a su casa y le dijo:

> –Linda semillita,
> soy la madre Tierra.
> Ábreme la puerta,
> y te daré fuerza.

Un pajarito oyó a la madre Tierra y le explicó lo que sucedía:

> –La semilla está atrapada
> entre las rocas y no puede salir.

Entonces, la madre Tierra llamó al Sol y a la Lluvia. Ella sabía que la semilla necesitaba la ayuda de todos.

Fueron juntos donde la semilla y le dijeron:

> –Abre tus hojitas
> al viento y al Sol.
> Mecerá tu tallo
> una bella flor.

La Lluvia comenzó a caer sobre las rocas y arrastró la semilla hacia la ladera. La semilla se hundió en la tierra fértil y echó raíz. Tomó fuerza con el agua y el Sol, y empezó a germinar.

Las hojas parecían dos ojitos verdes maravillados del mundo. El tallo siguió creciendo, creciendo y creciendo…

De pronto nació un capullo y luego brotó la flor: un disco pecosito rodeado de pétalos amarillos.

La madre Lluvia bañó la flor. El padre Sol la hizo resplandecer. Y la madre Tierra levantó su tallo para que la flor se mirara en el espejo del cielo.

¡Aquella flor tan hermosa era un girasol!

Isabel Freire de Matos
(puertorriqueña)

A **Completa** la información.

El problema de la semilla era _____

_____

_____

_____

B **Traza** líneas entre el personaje y la acción que realizó.

| la madre Tierra | • Estaba triste y sola. |

| la semilla | • Le ofreció calor a la semilla. |

| un pajarito | • Le ofreció fuerza a la semilla. |

| el padre Sol | • Le contó a la madre Tierra lo que le pasaba a la semilla. |

C **Escribe** palabras que rimen. **Búscalas** en el recuadro.

1. Sol _____

2. hermosa _____

3. germinar _____

4. semilla _____

5. llegó _____

6. ojito _____

rosa

amarilla

pajarito

caminar

caracol

bañó

A **Completa** las palabras, según el ejemplo.

1. caja   caj<u>ota</u>   2. silla   sill____   3. vaso   vas____

■ ¿Qué observas en esas parejas de palabras?

Repasemos

El **aumentativo** de muchas palabras se forma, con las terminaciones *-ota* y *-ote*.

Ejemplos   taza - tazota   carro - carrote

B **Escribe** el aumentativo de estas palabras:

1. nariz _____   4. piedra _____
2. cabeza _____   5. cerdo _____
3. casa _____   6. campana _____

C **Completa** las columnas.

Diminutivo		Aumentativo
1. _____		_____
2. _____		_____
3. _____		_____
4. _____		_____

A **Lee** las siguientes palabras:

tierra   viento   Juan   fuego

■ ¿Cómo pronunciaste las vocales destacadas, juntas o separadas?

Repasemos

Los **diptongos** se forman de la unión de dos vocales.
Pueden formarse con una vocal abierta (**a, e, o**) y una cerrada
(**i, u**) o con dos vocales cerradas.

Ejemplos ▸ *baile, rueda, cuidar*

B **Encierra** en un círculo los diptongos.

1. nuevo	4. cielo	7. limpió	10. ciudad
2. Samuel	5. boina	8. hacia	11. Zaida
3. oigo	6. caigo	9. tiene	12. miembro

C **Escoge** cinco diptongos y **forma** dos palabras con cada uno.

ai   ia   oi   io   ei   ie   ue

eu   ua   au   uo   ou   iu   ui

1. _____   6. _____
2. _____   7. _____
3. _____   8. _____
4. _____   9. _____
5. _____   10. _____

D **Lee** las palabras en voz alta.

baúl   canoa   lee

- ¿Pronunciaste las vocales juntas o separadas?

E **Pronuncia** estas palabras:

buey   Uruguay

- ¿Cómo suena la *y* en esas palabras?

- ¿Cuántas vocales se pronuncian juntas en esas palabras?

Aprendamos

Los **hiatos** se forman con dos vocales abiertas
o con una vocal cerrada acentuada y una abierta.

Ejemplos   *vean, río, baúl, canoa, lee*

Los **triptongos** se forman de la unión de tres vocales
que se pronuncian juntas en una palabra.

Ejemplos   b*uey*   Urug*uay*

F **Encierra** en un círculo los hiatos.

1. Darío   2. aéreo   3. caoba   4. mareo

G **Escribe D** para los diptongos, **H** para los hiatos y **T** para
los triptongos.

○ 1. peine   ○ 3. anzuelo   ○ 5. Paraguay

○ 2. egoísta   ○ 4. cooperar   ○ 6. Juan

Las tijeras de don Florián

A **Observa** los dibujos y **contesta**.

1. Al principio, ¿dónde buscaba las tijeras don Florián?

   detrás de las flores   delante de las flores

   Al principio, las buscaba _____

   _____

2. Luego, ¿dónde las siguió buscando?

   junto a la hierba   entre la hierba

   Luego, las siguió buscando _____

   _____

3. Al final, ¿dónde las encontró?

   dentro de su mochila   fuera de su mochila

   Al final, las encontró _____

   _____

B **Cuenta** la historia de las tijeras de don Florián.

   Un día, don Florián perdió sus tijeras. _____

   Al principio, _____

   Luego, _____

   _____

   Al final, _____

El juguete que perdí

A ¿Has perdido alguna vez un juguete? **Dibuja** y **escribe**.

¿Qué perdiste?

_____

_____

¿Dónde buscaste tu juguete?

_____

_____

¿Dónde encontraste el juguete?

_____

_____

B Ahora, **escribe** la historia del juguete que perdiste. **Pon** un título.

_____

Un día perdí _____

Entonces lo busqué _____

_____

_____

Al final, _____

_____

_____

A **Busca** palabras con hiatos y palabras con diptongos.

i	j	c	a	e	r	h	n
g	u	s	i	b	u	l	y
u	e	t	r	j	i	c	i
a	v	b	e	c	d	í	a
n	e	ó	n	d	o	p	w
a	s	e	a	z	i	t	r

■ **Escribe** las palabras que encontraste.

Palabras con hiato	*Palabras con diptongo*
1. _____	1. _____
2. _____	2. _____
3. _____	3. _____
4. _____	4. _____

B **Completa** los nombre de los países que tienen diptongos e hiatos.

1. G___temala
2. Nicarag___
3. Ec___dor
4. Venez___la

5. Boliv___
6. Franc___
7. V___tnam
8. Marr___cos

9. Arabia S___dita
10. Nor___ga
11. Cor___
12. Isr___l

Una historia

Oculta en el corazón
de una pequeña semilla,
bajo la tierra, una planta
en profunda paz dormía.

–¡Despierta! –el calor le dijo.
–¡Despierta! –la lluvia fría.

La planta, que oyó el llamado,
quiso ver lo que ocurría.
Se puso un vestido verde
y estiró el cuerpo hacia arriba.

De toda planta que nace,
ésta es la historia sencilla.

Manuel Fernández Juncos
(puertorriqueño)

■ **Explica**:
¿Qué ocurre en este poema?

Unidad 7

A **Une** cada verbo con su sinónimo.

1. hablar   a. ocurrir

2. escuchar   b. mirar

3. suceder   c. platicar

4. observar   d. oír

B **Separa** con una raya el sujeto del predicado. **Escribe** en el recuadro el verbo de la oración.

1. Los autos chocan unos contra otros.

2. Mi pueblo es muy tranquilo.

3. Los niños recogieron la basura.

4. El campesino sembró la semilla.

5. Los vecinos construirán estacionamientos.

6. Yo corro en la orilla del mar.

C **Completa** las oraciones con el verbo adecuado del recuadro.

1. La familia _____ de picnic el domingo próximo.   irá   fue

2. Ayer, las calles _____ llenas de carros.   están   estaban

3. Ahora, la alcaldía _____ el ambiente.   cuidó   cuida

4. Mi compañero y yo _____ el salón.   limpiamos   limpió

5. En el futuro, no _____ problemas.   hay   habrá

6. Las olas _____ conmigo.   juegan   juego

Unidad 8

A **Determina** si la sílaba destacada en estas palabras es tónica (**T**) o átona (**A**).

1. tranqui**lo** ☐ 4. **ár**bol ☐ 7. **in**sectos ☐

2. la**gar**tija ☐ 5. **lám**para ☐ 8. sal**món** ☐

3. presu**mi**da ☐ 6. **mar**cha ☐ 9. **pá**nico ☐

B **Separa** las palabras en sílabas y **escríbelas** en el recuadro. **Encierra** en un círculo la sílaba tónica.

1. agua   2. calor   3. duendecito   4. así

☐ ☐ ☐ ☐

5. piedras   6. río   7. también   8. limpio

☐ ☐ ☐ ☐

C **Escribe** el diminutivo de las palabras destacadas.

1. Me comeré este **pastel**. _____

2. Esta silla es muy **chica**. _____

3. Tengo dos **peces** de colores. _____

4. Se mudaron a un **lugar** tranquilo. _____

5. La carpa necesitaba **piedras**. _____

6. Ellos viven de lo **mejor**. _____

Unidad 9

A **Observa** los dibujos y lee los nombres. **Rotula** cada dibujo más grande con el mismo nombre en aumentativo.

hojitas   girasolcito   pajarillos   boquita

_____   _____   _____   _____

B **Busca** palabras con hiatos y diptongos en la sopa de letras. **Encierra** cada una en un círculo. Puedes encontrar diez.

y	t	z	p	b	k	t	y	b	j	k	s	l	a	r	k	a
v	i	e	n	t	o	t	k	f	e	k	i	c	g	l	b	y
t	e	t	t	c	t	t	p	u	e	r	t	a	c	c	d	j
g	r	a	c	i	a	s	j	e	j	s	g	í	t	f	a	i
t	r	k	t	e	h	o	k	r	k	o	s	d	b	t	z	o
t	a	t	y	l	f	j	v	z	m	f	i	a	b	r	í	a
t	g	r	í	o	n	j	b	a	b	h	m	v	i	z	h	b

C **Separa** en sílabas las palabras que encontraste. **Escríbelas** en la tabla que les corresponde. **Recuerda** que las dos vocales de un diptongo forman una sílaba. Las dos vocales de un hiato forman dos sílabas.

Diptongos	Hiatos

El diccionario

Un diccionario es una fuente de referencia o información que contiene y explica el significado de las palabras. Hay varias clases de diccionarios.

Diccionarios monolingües

Ofrecen el significado de las palabras en un solo idioma.

Diccionarios bilingües

Ofrecen el significado de las palabras de un idioma a otro. Por ejemplo: diccionario de español a inglés, diccionario de inglés a español.

Diccionarios enciclopédicos

Aportan más información sobre el significado de palabras. Además, contienen información acerca de países, personas y otros temas.

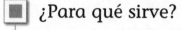 ¿Para qué sirve?

Usamos el diccionario, entre otras cosas, para

1. buscar el significado de las palabras.

2. verificar la ortografía de las palabras.

3. determinar si una palabra es un sustantivo, un adjetivo, un verbo u otra clase de palabras.

■ ¿Cómo es?

1. Las palabras aparecen en orden alfabético

2. Muchos diccionarios tienen **palabras guía**. En el siguiente dibujo las palabras guía son **habitación** y **hachazo**.

La palabra guía de la izquierda indica cuál es la primera palabra que se explica en la página izquierda. La palabra guía de la derecha indica cuál es la última palabra que se explica en la página derecha.

Con tus compañeros, abran un diccionario y fíjense en las palabras guía de varias páginas.

■ ¿Cómo se usa?

1. Cuando buscamos una palabra en el diccionario, debemos pensar si estará antes, en medio o después de las palabras guía.

2. Si la palabra que encontramos tiene más de un significado, es importante leerlos todos, hasta encotrar el más adecuado.

3. A veces, después de las palabras, aparecen letras o abreviaturas Estas se explican en una lista al principio del diccionario.

Algunas abreviaturas son *s.m.*, *s.f* y *v.* que significan *sustantivo masculino*, *sustantivo femenino*, y *verbo*, respectivamente.

A **Escribe** las palabras en las páginas del diccionario. Luego, **escribe** las palabras–guía:

colección
col
colegio
columna
color
colmillo

B **Escribe** las palabras donde les corresponda.

	Antes de *poco*	Después de *premio*
perro		
prado		
pastor		
pueblo		
prisa		
potro		
prestar		
pobre		

C **Estudia** los significados que tiene la palabra *pico*.

1. Boca de las aves.

2. Punta saliente de alguna cosa.

3. Herramienta que se usa para cavar la tierra.

4. Cima aguda de una montaña.

■ **Escribe** el número del significado de *pico* en cada oración.

a. Al llegar al pico, encontraron nieve.

b. Guarda el pico cuando termines de sembrar.

c. Ponle el alimento en el pico.

d. Corta el pico del papel con unas tijeras.

10 Me divierto

¿De qué trata la imagen?

¿Qué te gusta hacer en un lugar como éste?

¿Qué precauciones debes tomar en un lugar como éste?

La boda de doña Lagartija

Personajes:

el Lagarto   el Caracol   el Jilguero

la Lagartija   la Mariposa   la Cucaracha   la Libélula

(La escena se desarrolla a la hora de la siesta sobre las piedrecitas de la loma, sin más sombra que la de las enredaderas que suben hasta un pequeño muro abandonado.)

La Cucaracha (*entrando*)
La tarde de fuego
me trae <u>marchita</u>.
¡Se casa en la siesta
doña Lagartija!

El Caracol (*entrando*)
¡Hola, Cucaracha!

La Cucaracha (*saludando*)
¡Señor Caracol!

La Mariposa (*entrando*)
¡Les traigo en mis alas
un rizo de Sol!

El Caracol (*saludándola*)
¡<u>Capullo</u> dorado
bajando en avión!

El Jilguero (*entrando*)
¡Ya viene la novia
cruzando el camino;
detuve mi vuelo
por ver su vestido!

El Caracol
Cuando yo subía,
bajaba el Lagarto
con un traje fino.

Mini Diccionario

marchita: seca.

capullo: envoltura dentro de la cuál se desarrolla la mariposa.

rumor: zumbido.

azabache: variedad de piedra negra.

rubí: piedra preciosa de color rojo.

(Entran la Lagartija y el Lagarto tomados del brazo y un grupo de pequeñas lagartijas como damas de honor. Cuatro lagartos llevan la larga cola verde y el velo amarillo de la novia.)

(Todos se toman de la mano, haciendo la rueda. Los novios quedan en el centro de la ronda.)

Todos
¡Cantemos, dancemos
tra-la-la-la-la-la…
cantemos, dancemos,
tra-la-la-la-la-la…

El Jilguero
Ofrezco a los novios
mi flauta encantada,
mi pecho de plumas,
mi dulce guitarra.

La Libélula
Ofrezco a los novios
mi avión de cristal
que tiende en el aire
banderas de paz.

El Caracol
Ofrezco a los novios
mi caja de música,
juguete del agua,
<u>rumor</u> de dulzura.

La Cucaracha
Ofrezco a los novios
mi almohada
redonda, collar de
<u>azabache</u>,capita
de sombra.

El Lagarto
Y yo, anillo de oro
con perla y <u>rubí</u>,
ofrezco a mi novia
preciosa y gentil.

(Le pone el anillo. Nuevamente todos se toman de la mano formando la ronda. Al finalizar, danzan, y en el centro, la novia y el novio.)

Óscar Jara Azócar
(chileno)
(Adaptación)

A **Indica** qué representa cada obsequio.

1. una caja de música d

2. una almohada redonda

a. El canto del Jilguero.

b. Las alas de la Libélula.

3. un rizo de sol

c. Las alas de la Mariposa.

d. La concha del Caracol.

e. El pecho de la Cucaracha.

4. una flauta encantada

5. un avión de cristal

B **Contesta.**

1. ¿Dirías que este texto es realidad o fantasía? Explica tu respuesta.

_____

2. ¿Dirías que el propósito del autor es divertir o informar?
   ¿Por qué? _____

A **Lee** y **completa**:

1. *Lagartija* viene de _____lagarto_____ .

2. *Dulzura* viene de _____ .

3. *Destapar* viene de _____ .

4. *Inquieto* viene de _____ .

■ **Marca** la parte que se le añadió a cada palabra.

1. _____lagart(ija)_____   3. _____destapar_____

2. _____dulzura_____   4. _____inquieto_____

Aprendamos

La partícula que se coloca después de una palabra para formar otra se llama **sufijo**.

Ejemplos *lagarto - lagartija, dulce - dulzura*

La partícula que se coloca antes de una palabra para formar otra se llama **prefijo**.

Ejemplos *tapar - destapar, quieto - inquieto*

B **Marca** los sufijos de estas palabras:

1. cartero   4. pintora   7. ternura

2. gasolinera   5. gracioso   8. ratonera

3. gordura   6. cariñosa   9. pecera

C **Marca** los prefijos de estas palabras:

1. despeinar   4. inútil   7. repasar

2. indirecto   5. imposible   8. deshacer

3. releer   6. desconocer   9. intranquilo

A **Lee** las siguientes palabras. **Divídelas** en sílabas y **pinta** la sílaba tónica.

1. avión

   _____a - vión_____

2. compás

   _____

3. rubí

   _____

4. caracol

   _____

5. tambor

   _____

6. botón

   _____

■ ¿En qué posición se encuentra la sílaba tónica de esas palabras?

Aprendamos

Las palabras **agudas** tienen la fuerza de pronunciación en la última sílaba.

Ejemplos *avión, compás, rubí*

a-__vión__, com-__pás__, ru-__bí__

B **Escribe** la palabra aguda que corresponde a cada definición.

avión   baúl   ratón   botón

1. un animalito que tiene una cola muy larga _____

2. una cosa que tienen las camisas _____

3. un aparato que vuela _____

4. un mueble para guardar ropa u otras cosas _____

C **Marca** las series que sólo tienen palabras agudas.

☐ 1. maní, París, verán

☐ 2. muchas, tarjeta, Colón

☐ 3. favor, balón, pincel

☐ 4. silla, piano, planeta

☐ 5. collar, volcán, feliz

☐ 6. avión, llegarás, así

☐ 7. moví, esperé, serás

☐ 8. Alicia, boca, corrió

D **Pinta** los óvalos con palabras agudas.

1. café

2. cascabel

3. lagarto

4. collar

5. libélula

6. visión

7. telón

8. amor

9. atrás

10. gorrión

11. gorila

12. gavilán

■ **Escribe** las palabras agudas con tilde que pintaste.

1. _____

2. _____

3. _____

4. _____

5. _____

6. _____

■ ¿Con qué letras terminan las palabras agudas
que tienen tilde?

Aprendamos

Las palabras agudas sólo llevan tilde si terminan
en una **vocal**, en **n** o en **s**.

Ejemplos   *así, telón, compás*

Un paseo

A **Contesta. Usa** las palabras de los recuadros.

anunciaron	un paseo

¿Qué hicieron ayer los papás?

Ayer, los _____

_____

_____

preparan	la comida para llevar

¿Qué hacen hoy los papás?

_____

_____

_____

B Ahora, **usa** tus propias palabras para contestar.

¿Qué harán mañana los papás?

_____

_____

Yo preparo una fiesta

A **Imagina** que estás preparando una fiesta. **Dibuja** y **escribe** lo que haces cada día.

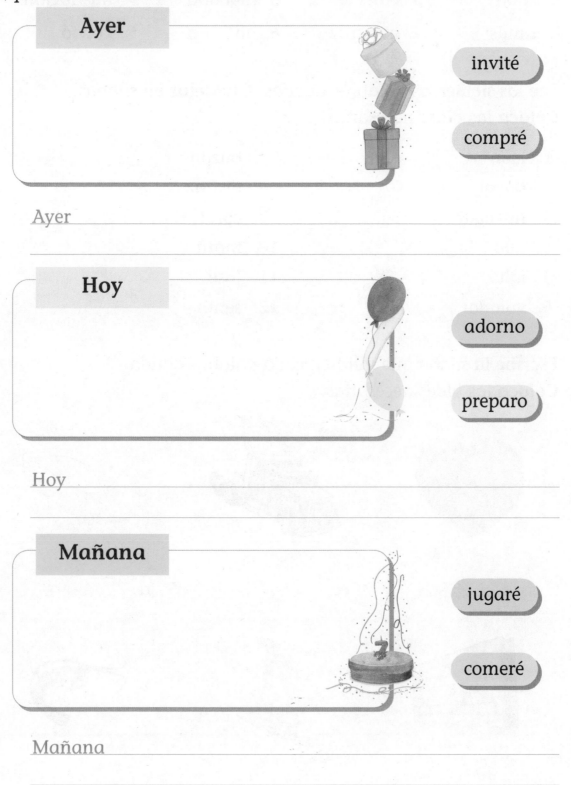

Ayer

invité

compré

Ayer _____

Hoy

adorno

preparo

Hoy _____

Mañana

jugaré

comeré

Mañana _____

_____

A **Encierra** en un círculo las palabras que tienen la tilde colocada correctamente.

1. ratón   3. Páris   5. algodón   7. ilustración

2. jamás   4. avestrúz   6. ají   8. volvió

B **Lee** las siguientes palabras agudas. **Divídelas** en sílabas. **Coloca** las tildes necesarias.

1. leon _____   7. buzon _____

2. papel _____   8. disfraz _____

3. navegar _____   9. coral _____

4. alla _____   10. mani _____

5. iglu _____   11. Jose _____

6. volador _____   12. sentir _____

C **Escribe** la sílaba que falta en cada palabra aguda. **Coloca** las tildes necesarias.

1. cora _____   3. ca _____   5. ja _____

2. pa _____   4. pa _____   6. cama _____

Adivinanzas

Cien varillitas
en un varillar,
ni secas ni verdes
se pueden contar.

(Los rayos del Sol)

En el cielo hay un platillo
todo lleno de avellanas,
por el día se recogen
por la noche se derraman.

(Las estrellas)

Nunca podrás alcanzarme
por más que corras tras mí;
aunque quieras separarte
siempre irás tú junto a mí.

(La sombra)

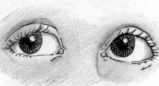

Un árbol con doce ramas
cada una tiene un nido;
cada nido, siete pájaros
y cada cual su apellido.

(El año)

Dos baúles de cristal
se abren y cierran
sin rechinar.

(Los ojos)

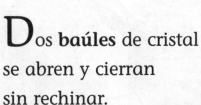

¿Cómo te sientes?

¿Qué hacen estos niños?

¿Por qué está llorando uno de ellos?

¿Cómo ayudarías a este niño a sentirse mejor?

The sign on the door reads: **Dr. García Pediatra**

La señora Oscuridad

Había una vez un niño que le tenía miedo a la oscuridad.

Cuando estaba en su cama y sus padres le daban
las "buenas noches", sentía mucho miedo porque todo estaba
muy oscuro. Veía solamente una gran oscuridad, y se sentía solo.

A veces, su mamá le contaba un cuento, y él se iba durmiendo
con el <u>arrullo</u> de su voz. Pero eso no ocurría siempre y, muchas veces,
los cuentos se acababan antes de que se durmiera.

Esa noche fue una noche diferente.

Sentía que su cama era enorme, y no veía nada porque todo
estaba oscurísimo. Cerró los ojos con mucha fuerza y detrás
de sus párpados también estaba oscuro. Quería dormir,
pero no podía porque estaba intranquilo y tenía mucho miedo.

Mini Diccionario

arrullo: sonido que adormece a los niños.

Entonces, escuchó una voz que le dijo:
"No me tengas miedo;
eso me pone muy triste".

–¿Quién eres? –preguntó el niño.

–No me tengas miedo; soy la señora
Oscuridad. Yo soy buena y quiero mucho
a los niños. Por eso, para que los niños
y las niñas puedan descansar sus ojitos
y dormir tranquilos, apago las luces
del día.

El niño siguió escuchando la dulce
voz de la señora Oscuridad, que decía:

–Yo tengo un manto muy grande.
Con él cubro todo: el cielo, los objetos,
los cuartos, las camas y las cosas
a tu alrededor. No tengas miedo.
Debes saber que mientras haya
oscuridad, nada te podrá pasar,
porque yo te estaré cuidando.

El niño, desde esa noche
en que escuchó la voz, se va siempre
contento a su cama. Ya no le tiene miedo
a la oscuridad.

Ahora sabe que cuando el cielo
se pone oscuro, y en su cuarto ya no
se ve nada, es que la señora Oscuridad
ha cubierto todo con su manto de noche,
para que los niños y las niñas puedan
dormir tranquilos y en paz.

A **Ordena** las escenas con números del **1** al **4**.

B **Marca** la mejor opción.

1. El problema del niño era:

☐ que no le gustaba dormir solo.

☐ que le tenía miedo a la oscuridad.

☐ que su mamá no le leía cuentos.

2. El niño resolvió su problema cuando:

☐ sus padres le dieron las buenas noches.

☐ amaneció.

☐ la señora Oscuridad le habló.

C **Explica** cómo era el niño al principio del cuento y cómo era al final.

_____

_____

VOCABULARIO

A **Lee** las oraciones.

Nos **bajamos** del coche.

Nos **subimos** al coche.

■ ¿Qué expresan estas oraciones?
¿Qué relación hay entre las palabras destacadas?

Repasemos

Los **antónimos** son palabras con significados opuestos o contrarios.

B **Pinta** el recuadro del antónimo de cada palabra destacada.

1. El niño del cuento **se durmió**.

   se cansó   se despertó   se acostó

2. Ahora el niño está **contento**.

   triste   asustado   intranquilo

3. Nunca llegaremos **tarde** a la escuela.

   despacio   solos   temprano

4. La señora Oscuridad tenía una voz muy **fea**.

   linda   clara   fuerte

5. Ella tenía un manto **grandísimo**.

   pequeñito   enorme   bonito

A **Divide** estas palabras en sílabas y **encierra** en un círculo la sílaba tónica.

| niño | enorme | escucha |

_____   _____   _____

B **Completa** la tabla, según el ejemplo.

	antepenúltima	penúltima	última
mucho		mu	cho
oscuro			
manto			
señora			
patines			
carpeta			
cultura			
chorro			
fácil			
cama			

■ **Marca** la respuesta correcta.

La sílaba tónica de las palabras anteriores es

☐ la última.   ☐ la penúltima.   ☐ la antepenúltima.

Aprendamos

Las palabras **llanas** tienen la fuerza de pronunciación en la penúltima sílaba.

Ejemplos   _fácil_, _dólar_

C **Marca** las palabras llanas.

☐	1. lagunas	☐	7. tronco
☐	2. apagó	☐	8. néctar
☐	3. álbum	☐	9. abuelo
☐	4. párpados	☐	10. época
☐	5. comen	☐	11. túnica
☐	6. césped	☐	12. resumen

■ **Escribe** las palabras llanas de arriba que tienen tilde.

■ ¿Con qué letras terminan las palabras llanas que tienen tilde?

Aprendamos

Las palabras llanas sólo llevan tilde cuando terminan
en una consonante que **no** sea **n** o **s**.

Ejemplos *lápiz, árbol*

D **Encierra** en un círculo las palabras que tengan colocada
la tilde incorrectamente.

1. chórro	5. huévo	9. dólar
2. cóndor	6. útil	10. Aníbal
3. ramáje	7. débil	11. colína
4. péces	8. fálso	12. felíno

¿Quién contesta?

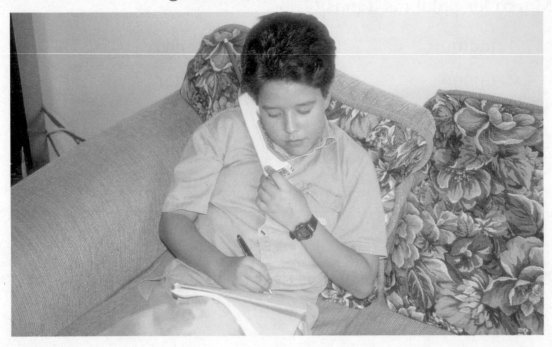

A **Completa** con palabras para hacer preguntas. Luego **escribe** una respuesta.

Cómo	Cuándo	Dónde	Quién	Por qué

1. ¿ ___Quién___ llamó por teléfono?

   Mi hermano llamó por teléfono.

2. ¿_____ quería?

   _____

3. ¿_____ estaba?

   _____

4. ¿_____ regresa a casa?

   _____

5. ¿_____ te sientes hoy?

   _____

6. ¿_____ te sientes así?

   _____

Mis preguntas

A **Imagina** que no estás bien. Un amigo o amiga te llama por teléfono para saber cómo estás. Completa con preguntas y respuestas.

¡Hola! ¿Por qué no fuiste a la escuela hoy?

Tengo _____

¿Qué te duele?

_____

_____

_____

_____

_____

_____

ORTOGRAFÍA

A **Coloca** las tildes necesarias en estas palabras llanas:

1. barco
2. pulpo
3. fragil

4. azucar
5. animales
6. dificil

7. marmol
8. inutil
9. espuma

B **Combina** las sílabas y **forma** palabras llanas.
Coloca las tildes necesarias.

| ti | nez | Mar | lla | tre | es |

| pro | ma | ble | ter | cra |

| mez | Go | ge | ro | li |

| a | ra | ce | pa | es | cio |

C **Escribe** palabras llanas con tilde y sin tilde.

| Sin tilde | Con tilde |

El primer resfriado

Me duelen los ojos,
me duele el cabello,
me duele la punta
tonta de los dedos.

Y aquí en la garganta
una hormiga corre
con cien patas largas.
¡Ay!, mi resfriado:
chaquetas, bufandas,
leche calientita
y doce pañuelos
y catorce mantas
y estarse muy quieto
junto a la ventana.

Me duelen los ojos,
me duele la espalda,
me duele el cabello,
me duele la tonta
punta de los dedos.

Celia Viñas Olivella
(*española*)

■ ¿Qué tomas cuando estás resfriado?

Una persona especial

¿Adónde han ido los niños y niñas de la ilustración?

¿Qué hacen en ese lugar?

¿Quién es la persona que los ha llevado?

¿Por qué dirías que esta persona es especial?

Entrevista a un bombero

Rubén González tiene cuarenta años y es bombero desde hace casi veinte años. En la entrevista que le hicimos contó detalles de esta actividad.

–¿Por qué es usted bombero?

–Porque me gusta ayudar a los demás.

–Don Rubén, ¿qué instrucción recibió usted como bombero?

–Durante algunos meses me entrenaron en las tareas que habitualmente realizamos: subir a lugares altos, armar una manguera, ofrecer primeros auxilios... Pero sobre todo me enseñaron responsabilidad y obediencia.

Hay que pensar que, cuando se apaga un incendio, debe haber una sola persona que da las órdenes. Los demás tienen que obedecer. Si fuera de otra manera y todos quisieran opinar, no se podría actuar rápidamente.

Mini Diccionario

habitualmente: regularmente.
acudimos: nos presentamos.
prevenir: evitar.
lamentar: sentirse mal de algo.

–¿Sólo actúan en caso de incendio?

–No, también <u>acudimos</u> para rescatar y atender a los heridos de un accidente, rescatamos personas que quedan atrapadas en los elevadores o en un derrumbe producido por un sismo, ayudamos a las víctimas de una inundación...

–¿Qué consejo les daría a los niños que leen esta entrevista?

–En primer lugar, que tomen todas las precauciones para evitar accidentes. Por ejemplo, no dejar velas encendidas, no jugar con cerillos, no sacar el cuerpo por las ventanas.

Un segundo consejo: cualquiera que sea el lugar donde se encuentren, tengan siempre en cuenta cómo salir de ahí en caso de emergencia. Es verdad que los bomberos actuamos rápidamente cuando sucede algo, pero preferimos que las personas aprendan a vivir con cuidado. Como dice el refrán, siempre es mejor <u>prevenir</u> que <u>lamentar</u>.

María Llorens y Luz María Novoa
(Adaptación)

A **Contesta** de acuerdo con la entrevista al bombero.

1. ¿Cómo se llama?

2. ¿Cuántos años tiene de ser bombero?

3. Menciona una tarea que le enseñaron.

4. Menciona uno de los consejos que da.

B **Marca** como es él.

☐ obediente	☐ enojado	☐ responsable
☐ triste	☐ rápido	☐ egoísta
☐ valiente	☐ perezoso	☐ servicial

C **Escribe** tres preguntas que te gustaría hacerle al bombero entrevistado.

1. _____

_____

2. _____

_____

3. _____

_____

D **Escribe**. Si necesitas a los bomberos, ¿cómo los llamas?

_____

A **Lee** estos consejos del bombero:

No dejes **velas** encendidas.
No juegues con **cerillos**.

B **Marca** las palabras con el mismo significado que las destacadas.

☐ candelas   ☐ botellas   ☐ fósforos

■ ¿Qué otros objetos conoces que tienen más de un nombre?

Repasemos

A veces las personas de un lugar usan ciertas palabras para nombrar una cosa, y son diferentes a las palabras que usan personas de otro lugar. Estas diferencias se llaman **variaciones léxicas**.

C ¿Cómo les llamas tú? **Escribe** los nombres.

A Lee las siguientes palabras. **Pinta** la sílaba tónica.

1. mú · si · ca

2. pór · ten · se

3. tí · mi · do

4. má · gi · ca

5. cá · li · do

6. li · bé · lu · la

¿En qué posición se encuentra la sílaba tónica en esas palabras?

Aprendamos

Las palabras que llevan la fuerza de pronunciación en la antepenúltima sílaba se llaman **esdrújulas**. Todas las palabras esdrújulas llevan tilde o acento ortográfico.

Ejemplos *mágica, cálido, tímido*

B **Divide** estas palabras en sílabas.

1. luciérnaga

| lu | cier | na | ga |

2. rápida

3. número

4. pájaro

5. última

6. sílaba

7. México

8. ayúdame

C **Marca** las palabras esdrújulas.

☐ 1. fantástico   ☐ 6. tentación

☐ 2. explorar   ☐ 7. título

☐ 3. océano   ☐ 8. divertidísimo

☐ 4. fósforo   ☐ 9. atrapado

☐ 5. revista   ☐ 10. gozarás

D **Sigue** las pistas y **descubre** palabras esdrújulas. **Escríbelas**.

1. Es un objeto que se usa para tomar fotos.

   ☐ á ☐ a ☐ a

2. Es la persona que te receta las medicinas.

   ☐ é ☐ i ☐ o

3. Es una persona que hace reír a los demás.

   ☐ ó ☐ i ☐ a

4. Es el nombre de un día de la semana.

   ☐ á ☐ a ☐ o

5. Es el nombre de un continente.

   Á ☐ ☐ i ☐ a

6. Es una hoja de un libro.

   ☐ á ☐ i ☐ a

E **Escribe** palabras esdrújulas.

1. _____   4. _____

2. _____   5. _____

3. _____   6. _____

El bombero

A **Mira** el dibujo y **contesta**.

1. ¿Cómo es el bombero?

   valiente   cobarde   fuerte   flojo

   El bombero es _____

2. ¿De qué color es el uniforme del bombero?

   verde   amarillo   rojo

   El uniforme es _____

3. ¿De qué tamaño es la manguera que usa?

   grande   larga   amarilla

   La manguera es _____

B **Escribe** un párrafo sobre el bombero con la información de arriba. **Coloca** el punto al final de cada oración.

_____

_____

_____

Una persona importante

A **Dibuja** o **pega** la foto de una persona que es importante para ti.

B Ahora **contesta**.

1. ¿Quién es esta persona?

_____

2. ¿Cómo se llama?

_____

3. ¿Cómo es?

_____

4. ¿Qué hace?

_____

C **Escribe** un párrafo sobre la persona. **Coloca** el punto al final de cada oración.

_____

_____

_____

_____

ORTOGRAFÍA

A **Lee** las palabras.

mamá	árbol	fábrica
jamás	lápiz	médico
corazón	cráter	rápido

■ ¿Qué tienen en común las palabras de cada grupo?

Repasemos

Las palabras **agudas** son aquellas cuya sílaba tónica es la última. Llevan tilde, si terminan en vocal o en las consonantes *n* o *s*.

Ejemplos *mamá, corazón, jamás*

Las palabras **llanas** son aquellas cuya sílaba tónica es la penúltima. Llevan tilde, si terminan en una consonante que no sea *n* ni *s*.

Ejemplos *árbol, lápiz, cráter*

Las palabras **esdrújulas** son aquellas cuya sílaba tónica es la antepenúltima. Siempre llevan tilde.

Ejemplos *fábrica, médico, rápido*

B **Agrupa** las palabras según su sílaba tónica.

	Agudas	Llanas	Esdrújulas
campeón			
persona			
tardísimo			
lágrima			
detalle			
difícil			
daría			
plátano			
rescatar			

Gabriela Mistral, la maestra premiada

Lucila siempre tuvo que
trabajar para poder tener
libros y cuadernos y lápices.

Pero estudió mucho también
y así se hizo maestra.

Entonces se cambió el nombre
para llamarse Gabriela Mistral.

Gabriela Mistral
escribió poemas
a los niños,
a las niñas,
a las madres,
para que todos se ayudasen,
para que la gente fuese feliz.

Y sus poemas se hicieron famosos.

Un día a Gabriela le dieron
el premio literario más importante
del mundo: el premio Nobel de Literatura.

Alma Flor Ada
(cubana)
F. Isabel Campoy
(española)

■ En este libro hay un poema de Gabriela Mistral. ¿Cuál es?

Unidad 10

A **Forma** palabras nuevas con los prefijos *in–* y *des–*.

1. ____ feliz   3. ____ creíble   5. ____ tocable

2. ____ plumar   4. ____ preocupado   6. ____ componer

B **Encierra** en un círculo los sufijos de las palabras siguientes.

1. gracioso   5. gentileza   9. hermosura

2. preciosa   6. adivinanza   10. dulzura

3. ratonera   7. fineza   11. ramaje

4. pintura   8. bombero   12. frutero

C **Pinta** los óvalos que contienen palabras agudas.

transparente   aventura   devolver

situación   dímelo   zapatos

temor   arena   mamá

D **Coloca** la tilde en estas palabras agudas si la necesitan.

1. detras   3. girasol   5. oyo   7. volveras

2. sentir   4. nacio   6. feroz   8. gorrion

Unidad 11

A **Escribe** en el espacio la palabra contraria a la palabra que está en el paréntesis.

1. La señora _____ llegó en la noche. (Claridad)
2. Cuando el papá contaba cuentos, los niños se _____. (despertaban)
3. La cama de Pablito era _____. (bajísima)
4. La leche _____ le sentó muy bien. (fría)

B **Encierra** en un círculo las palabras llanas. **Coloca** la tilde en las que la necesiten.

mejor	oscuro	dolar	oscuridad
ojos	parpado	tambien	lapiz
difícil	mama	fuerza	triste
decia	noche	dia	arbol

C **Escribe** las palabras que encerraste en la tabla que les corresponde.

Con tilde	Sin tilde

Unidad 12

A **Pinta** los rectángulos que contienen palabras esdrújulas. **Coloca** la tilde cuando sea necesario.

victima	letrero	trafico	manguera
botella	circulo	emergencia	despertar
cascara	mochila	triangulo	tesoro
entrevista	rapido	luciernaga	proximo

B **Ordena** las sílabas para formar palabras esdrújulas. **Escríbelas** en los recuadros.

1. ma cá ra

2. mé co di

3. ju la es drú

4. te te vís

5. bas la sí

6. yú a la da

C **Lee** el párrafo. **Subraya** las palabras agudas de azul, las llanas de verde y las esdrújulas de rojo. **Coloca** la tilde cuando sea necesario. No subrayes las palabras de una sílaba.

Yo conozco a una persona importantisima. Se llama Simon Gonzalez y es medico. Trabaja en el hospital y cura a los enfermos. También curo a mi papa. Por eso es tan importante.

A **Escribe** en el recuadro el nombre de cada animal o cosa. **Ponle** a cada uno un artículo apropiado.

1. _____   5. _____

2. _____   6. _____

3. _____   7. _____

4. _____   8. _____

B **Lee** las frases y las oraciones siguientes. **Coloca** el punto final, los signos de interrogación (¿ ?) o de exclamación (¡ !) donde sean necesarios.

1. Se acabaron las vacaciones
2. Qué te gusta hacer
3. todos los animales
4. Vengan inmediatamente
5. Qué linda mariposa
6. Por qué no limpian el patio
7. la familia de Laura
8. No corten las flores

C **Subraya** el sujeto de la oración. **Completa** el predicado con el verbo correcto que está entre paréntesis.

1. La mamá de Patricio nos _____ al campo el otro día.
(lleva, llevó)

2. Nosotros _____ a la señorita Arroyo todos los días.
(ayudamos, ayuda)

3. Las avenidas _____ vacías para mañana.
(quedaron, quedarán)

D **Escribe** en el espacio *a la, al, de el, de la* o *del* según sea necesario.

1. Vamos _____ escuela en camión.

2. Mis tíos son _____ ciudad.

3. Este libro es _____ señor Domínguez.

4. ¿Quieres ir _____ teatro o _____ fiesta?

E **Escribe** las frases siguientes en plural.

1. Un crayón azul   2. Una ciudad hermosa   3. El maíz dulce

_____   _____   _____

F **Subraya** los adjetivos en las siguientes oraciones.

1. Las mariposas tienen alas bellas y delicadas.

2. Nos encanta pasear por las verdes montañas.

3. La brisa suave del bosque nos acaricia.

G **Escribe** en los recuadros las dos palabras que forman cada palabra compuesta.

1. matamoscas   2. saltamontes   3. rompecabezas

4. lavaplatos   5. parabrisas   6. pavoreal

H **Coloca** la tilde en las palabras agudas o llanas que la necesiten.

1. calor	4. suave	7. despues	10. asi
2. cancion	5. lapiz	8. caracol	11. futbol
3. papel	6. cultura	9. dificil	12. rumor

I **Lee** cada par de palabras y **escucha** cada sílaba. **Marca** D en las que tengan diptongo y H en las que tengan hiato. **Recuerda** que las dos vocales de un diptongo forman una sílaba. Las dos vocales de un hiato forman dos sílabas.

1. creció ☐	3. lluvia ☐	5. abrió ☐
crecía ☐	llovía ☐	abría ☐
2. nacimiento ☐	4. siguieron ☐	6. abría ☐
nacían ☐	seguía ☐	abierto ☐

J **Escribe** cada palabra en la columna que le corresponde según su sílaba tónica.

	Agudas	Llanas	Esdrújulas
caracol			
mayúscula			
cumpleaños			
taller			
panadería			
ratón			
número			
árboles			
árbol			